AUTHENTISCH · PERSÖNLICH · ANDERS

BROOKLYN

Neighborhood Guide

Kennt ihr dieses Gefühl, wenn ihr euch an einem Ort so richtig wohl und frei fühlt? Wenn ihr mit einem breiten Grinsen durch die Straßen lauft und plötzlich nirgendwo anders sein wollt? Genau dieses Gefühl haben wir in Brooklyn.

Auch wenn wir schon seit einiger Zeit wieder in Deutschland wohnen, zieht es uns immer wieder auf diese ganz besondere Seite von New York.

Unser Motto lautet: „Authentisch. Persönlich. Anders." Wir möchten euch in diesem Buch „unser" Brooklyn zeigen und haben bewusst nicht all die hippen und angesagtesten Spots aufgelistet, sondern die Restaurants und Bars, Shops und Parks, die wir selbst besonders gern mögen und die einfach so schön echt und ehrlich sind.

Stellt euch das Buch als einen guten Freund vor, der euch mit hinter die Kulissen nimmt und euch die Stadt aus der Sicht eines Locals zeigt.

Wenn ihr so durch die Straßen lauft oder in einem Café sitzt und Leute beobachtet, fragt ihr euch dann auch manchmal, wer sie sind? Was machen sie beruflich, was sind ihre Hobbies und wo essen sie abends ihre Pizza oder trinken ihr Bier? Uns geht es ganz oft so und deshalb stellen wir euch hier auch ein paar inspirierende Menschen vor.

Wir haben all unser Herzblut in den Brooklyn Neighborhood Guide gesteckt und hoffen, dass euch Brooklyn genauso sehr gefällt wie uns.

Also, los geht's! Viel Spaß beim Entdecken!
Anne & Ina

Inhalt

Neighborhoods

Über Brooklyn

Boroughs, Neighborhoods & Brooklynites

Die Stadt New York teilt sich in fünf Bezirke, die sogenannten „Boroughs“. Brooklyn ist einer von diesen – neben Manhattan, Queens, der Bronx und Staten Island – und mit mehr als 2,5 Millionen Einwohnern der bevölkerungsreichste. Wäre Brooklyn eine eigenständige Stadt, so wäre sie die viertgrößte der USA. Der Borough umfasst zahlreiche Viertel, die „Neighborhoods“, die sich in ihrer Geschichte sowie in ihren Bewohnern und Besonderheiten allesamt voneinander unterscheiden. In elf Kapiteln – einem pro Viertel – stellt dieses Buch nur einen Bruchteil der insgesamt über 40 Neighborhoods vor, welchen die Autorinnen nach ihrem ganz persönlichen Geschmack sowie nach Authentizität und Erlebniswert für Reisende ausgesucht haben. Dabei erzählt jedes Kapitel auch von einer in Brooklyn geborenen oder lebenden Person, einem „Brooklynite“. Die Vorstellung der ausgewählten Charaktere, Fakten und Viertel soll und kann nur einen allerersten Eindruck dieser vielseitigen und ganz besonderen Seite New Yorks geben.

Brooklyn heute

Seit Jahrzehnten ist Manhattan das Aushängeschild von New York City – dem Schmelztiegel der Kulturen und der Stadt, die niemals schläft. Die meisten denken bei NYC erst einmal an Times Square, Wall Street und Freiheitsstatue. Doch New York ist viel mehr als nur das. Wer die Brooklyn Bridge bis zum Ende durchläuft und nicht kurz vorher kehrt macht, dem eröffnet sich eine andere Seite der Millionenstadt: genauso vielfältig, aber weniger hektisch, dafür ruhiger, grüner und heller, kulinarisch einzigartig, kreativ und inspirierend. Was hat Brooklyn zu dem gemacht, das es heute ist? Mehrere hundert Jahre Einwanderergeschichte, die industrielle Revolution, die amerikanischen und die Weltkriege, die Bedeutung der Handelsstadt New York, die Förderung von Kunst und Musik und nicht zuletzt die noch andauernde Gentrifizierung. Insbesondere in den vergangenen 30 Jahren hat der Borough einen erheblichen Wandel durchlebt. Mit dem wachsenden kulturellen und kulinarischen Angebot, großzügigen Parkanlagen, modernstem Wohnraum und einem vielfältigen Nachtleben misst sich Brooklyn heute mit Metropolen wie London, Bogotá und Tokio. Unternehmer leben Nachhaltigkeit vor, Gastronomen setzen auf bio, fair und regional, Start-ups entwickeln Innovationen und Musiker und Künstler erfinden sich immer wieder neu. Die Schattenseite all dieser positiven Entwicklungen ist, dass langjährige Bewohner und deren Kulturen mehr und mehr verdrängt werden. Die Gentrifizierung, die

Brooklyn in den vergangenen Jahren insbesondere in den Manhattan-nahen Teilen widerfahren ist, ist ein viel diskutiertes und bei den hier Geborenen und Aufgewachsenen ein sehr sensibles Thema. Von diesem Konflikt betroffen ist aber lange nicht jeder Teil des Boroughs. Viele Viertel bestehen in ihrer Ursprünglichkeit. Traditionen und Kultur sind fest verankert und weit entfernt von der Entwicklung und dem Wohlstand anderer Gegenden. Brooklyn ist ein Mix aus alt und neu und befindet sich noch immer im Wandel – teils gemäßigt, teils rasant.

Brooklyn damals

Ursprünglich bewohnte der indianische Stamm Lenape das, was wir heute Brooklyn nennen. 1636 besiedelten Niederländer das Gebiet und gaben ihm den Namen „Breuckelen". Nur 40 Jahre später zogen Briten nach und nahmen das Land für sich ein. Im amerikanischen Unabhängigkeitskrieg zwischen Amerikanern und Briten wurde Brooklyn zum entscheidenden Austragungsort des Kampfes um die Einnahme der Stadt New York. Die legendäre Schlacht von Long Island, die „Battle of Brooklyn", im Jahr 1776, zwang die Amerikaner zum Rückzug aus der Stadt. Erst mit dem Frieden von Paris im Jahr 1783 akzeptierten die Briten die amerikanische Unabhängigkeit vollends und gaben die eingenommenen Städte wieder frei. Knapp hundert Jahre später wurde Brooklyn im Jahr 1854 als unabhängige Stadt gegründet. 1898 erreichte die Bürgerschaft den Zusammenschluss von Brooklyn, Bronx, Manhattan, Queens und Staten Island zu einer Stadt. New York City war gegründet. Seitdem haben diverse Immigrationswellen Brooklyn laufend verändert und entscheidend geprägt. Von europäischer Seite wanderten vor allem Deutsche, Iren, Italiener und Polen ein. Auch Gruppen von Juden zogen her und bauten sich neue Existenzen auf, ebenso wie Puerto Ricaner, die in großer Zahl erstmals in den 1940er Jahren ihren Weg nach Brooklyn fanden. In den vergangenen Jahrzehnten kamen vermehrt Zuwanderer aus Asien, Lateinamerika und der Karibik. Der starke Zulauf in den 70er und 80er Jahren schützte New York City vor einer Entvölkerung, die andere große Städte im Nord-Osten der USA – wie etwa Detroit – zu dieser Zeit belastete. Als Folge der vielen Einwanderer wird in mehr als der Hälfte aller New Yorker Haushalte nicht primär Englisch gesprochen, und auch auf den Straßen ertönt täglich Arabisch, Jiddisch, Mandarin, Spanisch oder Urdu. Diverse ethnische Gruppen schlossen sich über die Jahre hinweg zusammen und schufen so kleine kulturelle Enklaven: So ist Greenpoint Heimat vieler Polen, Carroll Gardens besonders geprägt von italienischer Kultur, und in Teilen von Williamsburg und Bedford-Stuyvesant gibt es große jüdische Gemeinden. Auch wenn nicht immer alle konfliktlos miteinander auskamen und -kommen, zeigt sich Brooklyn im Ganzen als friedliches Zusammenspiel unterschiedlichster Länder, Leute und Lebensstile und ist daher für viele eine einzigartige Heimat oder Destination.

Events & Festivals

Langweile kommt in Brooklyn so gut wie nie auf, insbesondere nicht von Mai bis Oktober, wenn Festivals rund um Musik, Film, Essen und Kunst Besucher von nah und fern zusammenbringen. Die besten, wiederkehrenden Events gibt es hier:

Mai

DanceAfrica Festival
Das Festival feiert die bunte und vielfältige Kultur Afrikas mit viel Tanz, Kunst, Film und einem großen Bazaar. Mehr als 150 Verkäufer aus aller Welt verwandeln die Straßen rund um die Brooklyn Academy of Music (BAM) in Fort Greene für ein Wochenende in einen globalen Marktplatz. Das angebotene Essen, Mode und Kunst sind afroamerikanischer, afrikanischer oder karibischer Natur. bam.org

Northside Festival
Williamsburg und Greenpoint teilen sich dieses jährliche Festival mit Fokus auf Musik, Film und gute Ideen. Für eine Woche stehen vor allem aufstrebende Bands und Rockstars sowie Independent-Filme auf dem Programm. Größen aus Brooklyns Kreativszene halten Vorträge, geben Workshops und berichten von Durchbruch und Niederlagen. Während die Locations der vielen Auftritte gut verteilt sind, ist das Herz des Festivals über die Woche hinweg der McCarren Park. northsidefestival.com

Mermaid Parade
Ein Ausflug nach Coney Island lohnt sich besonders Ende Juni zu diesem jährlichen Highlight des Viertels. Die halbtägige Parade mit riesigen Umzugswagen und bunten Kostümen mit wenig Stoff und viel nackter Haut feiert den Beginn der Sommersaison und sorgt für eine spektakuläre Stimmung – alles im Zeichen der Unterwasserwelt. Am meisten Spaß macht das Zuschauen und Mitfeiern in in entsprechender Verkleidung. coneyisland.com

Juni – August

Celebrate Brooklyn!
Über gut zehn Wochen spielt in der Konzertmuschel auf der Westseite des Prospect Parks mehrmals pro Woche Live-Musik. Während Essen und Picknick-Decke mitgebracht werden dürfen, gibt es Getränke nur von den Verkäufern auf dem Gelände. Durch die begrenzte Besucheranzahl lohnt es sich, früh da zu sein. Wohl einmalig sind die Stummfilmnächte, bei denen Filme von Live-Musik begleitet werden. bricartsmedia.org

Juli

Brooklyn Hip Hop Festival
New York Citys größtes Event für Hip Hop-Kultur feiert jährlich die Entstehung dieser Musikrichtung. Neben der künstlerischen Entwicklung wird dabei auch immer wieder die Bedeutung der Gemeinschaftsbildung und sozialen Veränderung hervorgehoben. Die Auftritte internationaler Hip Hop-Größen wie Big Daddy Kane und Busta Rhymes werden daher von Vorträgen, Ausstellungen und einer traditionellen Preisverleihung begleitet. bkhiphopfestival.com

Juli – August

Red Hook Flicks
Auch im Louis Valentino Jr. Park & Pier gibt es im Juli und August wöchentlich öffentliche Filmabende unter freiem Himmel. Die Streifen werden auf die Wand einer Lagerhalle projiziert, während die Sonne hinter der Freiheitsstatue untergeht. redhookflicks.com

SummerScreen
Wie manch anderer Park in New York verwandelt sich auch der McCarren Park im Sommer in ein Outdoor-Kino. Da dieser mitten im hippen Williamsburg liegt, stehen hier vor allem Trash- und Retro-Filme auf dem Programm. Jeden Mittwoch öffnet um Punkt 6 p.m. die Rasenfläche (Klappstühle oder Decke mitbringen!). Bis zum Filmstart nach Sonnenuntergang sorgen Bands für Unterhaltung und verschiedene Essens- und Getränkestände für Verpflegung.
summerscreen.org

August

Afropunk Fest
Dieses multikulturelle Festival stand ursprünglich für die Annäherung zwischen afroamerikanischer Musik und weißer Punk-Kultur. Heute bringt das Event Headliner wie Lauryn Hill oder Lenny Kravitz auf die Bühne. Bei dem dreitägigen Ereignis im Commodore Barry Park in Fort Greene halten Food Trucks, ein Skate Park sowie Schmuck- und Kleidungsverkäufer die Gäste auch zwischen den Auftritten bei Laune. afropunkfest.com

Tap+Cork
Tap+Cork – Zapfhahn und Korken. Das relativ junge Format vereint anspruchsvolle Verkostungen regionaler Biere und Weine mit der ausgelassenen Stimmung eines Sommerfestivals. Preisverleihungen für die besten Brauer und Winzer, Live-Musik und kühle Getränke locken Jahr für Jahr tausende Besucher nach Bed-Stuy in die Fulton Street. Eingeläutet wird das eintägige Fest von diversen Partys am Vorabend. tapcorknyc.com

September

West Indian Day Parade
Besonders bunt und laut wird es in Crown Heights am ersten Montag im September, wenn traditionell der West Indian Day gefeiert wird. Die Parade entlang des Eastern Parkway zelebriert die karibische Kultur mit Musik, Tanz und glitzernden Kostümen. Leider wird die Veranstaltung jedes Jahr von Gewalttaten überschattet. Die Parade gilt daher nicht nur als Brooklyns buntestes, sondern auch als gefährlichstes Straßenfest. wiadcacarnival.org

Atlantic Antic
An einem Sonntag Ende September verwandelt sich die Atlantic Avenue von der 4th Avenue bis zum East River in eine Feiermeile. Das familienfreundliche Straßenfest ist das älteste und größte in ganz New York City. Tausende Besucher feiern hier mit Musik auf mehreren Bühnen, reichlich Essen und vielen Gelegenheiten zu Schabernack („antics") am Rande.
atlanticave.org/atlantic-antic

Oktober

Bushwick Open Studios
Für drei Tage öffnen Künstler ihre Ateliers und geben Einblick hinter die Kulissen der Galerien. Das Rahmenprogramm – bestehend aus Workshops, Vorträgen und Konzerten – verwandelt Bushwick für ein Wochenende in ein großes Festivalgelände. Die Veranstaltung ist nicht profit-orientiert und wird von freiwilligen Helfern der Organisation Arts in Bushwick ausgerichtet.
artsinbushwick.org

JERK CENTER
JOLOFF

Neighborhoods

Brooklyn Heights & Dumbo

Brooklyn Heights und DUMBO (District Under Manhattan Bridge Overpass) sind das Tor nach Brooklyn für jeden, der über die Brooklyn Bridge kommt. Brooklyn Heights ist der älteste aller Stadtteile. Durch die gute Verbindung mittels Fähren und Brücken zogen im 19. Jahrhundert Geschäftsleute und Wohlhabende aus Manhattan hierher. Die für die Zeit typischen Federal Stil Häuser und nach Familiendynastien benannten Straßen erinnern noch heute daran. Besonders bezeichnend für das angrenzende DUMBO sind die verwinkelten Kopfsteinpflasterstraßen und das laute Rattern der Züge auf der Manhattan Bridge. Die auffälligen Klinkerbauten – ehemalige Speicherhallen – beheimaten heute Kunstateliers und innovative Start-ups. Beide Bezirke bieten eine unvergleichliche Aussicht auf Manhattan. Der Brooklyn Bridge Park wandelte sich in den vergangenen Jahren zu einem Erlebnispark, der zu Füßen der New Yorker Skyline eine überraschende Ruhe ausstrahlt. Ob zum Spaziergang am Wasser, Picknick im Park oder für die einmaligen Fotomotive – es gibt genug Gründe für einen Abstecher in dieses moderne Brooklyn.

M Subway-Linie F bis Haltestelle York Street, Linien A und C bis Haltestelle High Street, Linien 2 und 3 bis Haltestelle Clark Street, East River Ferry bis DUMBO/Brooklyn Bridge Park.

↑ **Brooklyn Bridge & Brooklyn Bridge Park**
Tolle Aussicht und viel Abwechslung

Bargemusic MACHEN
Brooklyns schwimmende Konzerthalle! An bis zu fünf Tagen in der Woche wird die umgebaute Barkasse zur Bühne für klassische Musik. Der holzvertäfelte Bauch des Schiffes fasst neben einem Orchester bis zu 130 Zuschauer. Durch die intime Atmosphäre, die überraschend gute Akustik und natürlich die spektakuläre Aussicht auf Manhattan sind die Auftritte für Publikum wie für Musiker einmalig.

2 Old Fulton Street, Öffnungszeiten nach Spielplan.
bargemusic.org

Brooklyn Bridge SEHEN
Das New Yorker Wahrzeichen wurde im Jahr 1883 nach knapp 14 Jahren Bauzeit fertig gestellt. Die Konstruktion im reißenden Wasser des East Rivers forderte einige Opfer, darunter auch Mitglieder der deutsch-amerikanischen Ingenieursfamilie Roebling. Tragischerweise kam Chefdesigner John August Roebling selbst bei einem Bauunfall ums Leben. Sein zur Vollendung der Brücke berufener Sohn Washington blieb nach einem ähnlichen Unglück querschnittsgelähmt. Während er die Fertigstellung nur aus der Ferne beobachtete, war es seine Frau Emily, die den Bau bis zum Schluss steuerte und die Brücke am Eröffnungstag erstmals überquerte. Die 1.830 Meter lange Brücke war die erste, die von Manhattan nach Brooklyn führte, trieb so manchen Fährbetrieb in den Ruin und führte zu erhöhter Zuwanderung in das nun zugängliche Brooklyn. Ein Spaziergang von der einen zur anderen Seite dauert circa 30 bis 40 Minuten. Die täglichen Scharen staunender Besucher werden durchkreuzt von pendelnden New Yorkern in Eile (Vorsicht vor den Radfahrern!). Besonders magisch ist eine Begegnung am frühen Morgen, bevor die Touristen die Brücke einnehmen oder bei Nacht, wenn einem die funkelnde Skyline Manhattans zu Füßen liegt.

Aufgang zu Fuß: Kreuzung Washington und Prospect Street (Schildern „Brooklyn Bridge Walkway" folgen). Mit dem Rad: Kreuzung Tillary und Adams Street.

Brooklyn Bridge Park SEHEN
Für einen kurzen Schlenker oder den ganzen Tag: Dieser Park ist ein Muss – wegen seiner unbezahlbaren Aussicht auf Manhattan und seiner Vielfalt. Als Alternative zum Spaziergang laden großzügig angelegte Rasenflächen zum Picknick oder Faulenzen ein. Die Piers bieten Soccer-, Basketball- und Beachvolleyballplätze und im Sommer sogar einen Pool. In der BBQ-Zone stehen Grills, Tische und Bänke zur freien Verfügung, und wer sein Essen nicht selbst mitbringen möchte, wird an kleinen Buden mit Eis, Pizza und anderen Leckereien versorgt.

Von der Manhattan Bridge abwärts entlang des East Rivers. brooklynbridgepark.org

↓ **Brooklyn Bridge Park**
BBQ mit Blick auf die Skyline

← **Brooklyn Waterfront**
Wassersport zwischen Brooklyn und Manhattan

Brooklyn Heights Promenade SEHEN
Tipp für Foto-Fanatiker! Über dem Brooklyn Bridge Park und der Schnellstraße Brooklyn Queens Expressway (BQE) gelegen, bietet diese Flaniermeile die allerbeste Aussicht auf Skyline, Freiheitsstatue und Brooklyn Bridge. Besonders beeindruckend wird es bei Sonnenuntergang oder wenn nachts die Lichter der großen Stadt über dem East River leuchten. Der einfachste Zugang erfolgt über die Fußgängerbrücke vom Brooklyn Bridge Park aus.

Brooklyn Heights Promenade, zwischen Remsen Street und Cranberry Street.

Brooklyn Roasting Company CAFÉ
Stylischer Coffee Shop mit Industrie-Charme: In dieser alten Lagerhalle kommt zwischen Röstmaschinen, Bohnensäcken und der selbst gezimmerten Holzeinrichtung definitiv Gemütlichkeit auf. Spätestens der Geruch der vor Ort gerösteten und gemahlenen Kaffeebohnen aus aller Welt macht Lust auf ein Heißgetränk. Groß geschrieben wird hier vor allem auch Nachhaltigkeit: Fair gehandelte Bio-Bohnen, Wiederverwertung und Ökostrom gehören zur Philosophie des Hauses.

25 Jay Street, 7 a.m. – 7 p.m.
brooklynroasting.com

Fulton Ferry Landing SEHEN
Seit 1642 ermöglicht diese Anlegestelle den Fährverkehr zwischen Brooklyn und Manhattan. 1814 ging hier die Fulton Ferry, benannt nach Unternehmer Robert Fulton, als erstes Dampfschiff auf dieser Strecke zu Wasser. Nach Fertigstellung der Brooklyn Bridge musste der Betrieb mangels Nachfrage eingestellt werden. Als Alternative ist der Fährverkehr jedoch immer geblieben – auch heute legt hier mehrmals stündlich die East River Ferry an und ab. Der Pier ist auch Heimathafen der Konzert-Barkasse → Bargemusic.

Ecke Old Fulton Street und Furman Street.

↓ **Manhattan Bridge**
Gibt DUMBO seinen Namen

↑ **Front General Store**
Second Hand-Laden mit Charme

Front General Store KAUFEN

Second Hand-Laden zur Erfüllung aller Hipster-Träume. Neben speckigen Lederjacken, Sonnenbrillen aus allen Jahrzehnten und gravierten Gürtelschnallen locken vor allem auch ausgefallene Accessoires für Haushalt und Freizeit. Stolzer Ladenbesitzer ist Hideya Sagawa, der in jungen Jahren mit seiner Leidenschaft für die 60er Jahre und „American Vintage" aus Tokio in die USA kam und sich über Jahre hinweg seine eigene, ansehnliche Sammlung aufbaute. Heute teilt er diese mit seinen Kunden in Brooklyn.

143 Front Street, Mo. – Sa. 11:30 a.m. – 7:30 p.m.
So. 11:30 a.m. – 6:30 p.m.

Hanco's ESSEN

Für das Picknick im Brooklyn Bridge Park eignet sich ein Stop bei Hanco's hervorragend. Das kleine vietnamesische Restaurant bietet landestypische Sandwichvarianten, Sommerrollen, Pho-Suppen und Bubble Tea an – alles auch zum Mitnehmen. Schnell, günstig, lecker.

350 7th Avenue, 8:30 a.m. – 9 p.m.

↑ **Wasserturm Kunst DUMBO**
Tom Fruin, 2012

Iris Café ESSEN

Verstecktes, freundliches Bistro jenseits des Treibens rund um die Brooklyn Bridge. Der schlichten Café-Ausstattung stehen vergleichsweise ausgefallene Gerichte gegenüber, darunter das Avocado-Sandwich mit hausgemachtem Ricotta zum Brunch oder Lobster Fettuccine zum Dinner. Die Qualität ist hervorragend und die Preise absolut fair. Auch die Getränkekarte überrascht mit Varianten bekannter Cocktails, allen voran der Erdbeer-Basilikum Daiquiri.

20 Columbia Place, 8 a.m. – 12 a.m.
iriscafe.nyc

Jack the Horse Tavern ESSEN

Das schlichte, fast bodenständige Restaurant ist eine angenehme Abwechslung zu den hippen Läden des Viertels. Die Preise

HEIGHTS
ONE WAY

für Steak, Brathähnchen oder gegrillten Fisch – allesamt von viel Gemüse begleitet – liegen dank guter Qualität und Zubereitung ein wenig über dem Durchschnitt. Am Ende den Blick auf die Dessert- und Käsekarte nicht vergessen! Sonntags auch exzellent für einen typisch amerikanischen Brunch (Eggs any style, Buttermilk Pankakes, Cheddar Grits und Co.).

66 Hicks Street, Mo. – Sa. 5:30 p.m. – 10:30 p.m.
So. 11 a.m. – 3 p.m. und 5 p.m. – 9 p.m.
jackthehorse.com

Jacques Torres Chocolate CAFÉ/KAUFEN
Seine Pralinenvariationen sind einmalig, seine Kekse „dekadent reichhaltig" und seine heiße Schokolade preisgekrönt. Konditormeister Jacques Torres, in Brooklyn besser bekannt als Mr. Chocolate, eröffnete hier in DUMBO den ersten seiner mittlerweile neun Läden. Ob durch die französischen Wurzeln oder das Setzen auf ausschließlich natürliche Zutaten – Jacques' Schokolade ist längst jenseits der Stadtgrenzen bekannt.

66 Water Street, Mo. – Sa. 9 a.m. – 8 p.m.
So. 10 a.m. – 6 p.m., mrchocolate.com

Jane's Carousel MACHEN/SEHEN
48 Pferde und zwei Kutschen drehen hier ganzjährig ihre Runden für Groß und Klein. Das Karussell ist ein restauriertes Original aus dem Jahr 1922 und wirkt – platziert inmitten der zwei Brücken – irgendwie magisch. Vor Wind und Wetter geschützt von einem eigens designten Glaskasten, bietet es ein perfektes Zusammenspiel aus Antik und Modern.

Brooklyn Bridge Park
Mai – Oktober: Mi. – Mo. 11 a.m. – 7 p.m.
Oktober – Mai: Do. – So. 11 a.m. – 6 p.m.
janescarousel.com

↑ **Jane's Carousel**
... für Erwachsene ebenso

WISSEN ZUM GLÄNZEN

„Brooklyn Style Pizza" hat sich landesweit einen Namen gemacht und steht in den USA vor allem für knusprigen Teig aus dem Steinofen. Vor Ort ist der Kampf um die beste Pizza der Stadt ein wahrer Krimi. Hauptdarsteller ist Patsy Grimaldi, Gründer der beliebten Pizzeria „Grimaldi's" – bekannt für die immer lange Schlange im Schatten der Brooklyn Bridge. Nach langjährigem Betrieb verkaufte Patsy 1998 den Laden samt Marke und Namen an einen seiner besten Kunden, Frank Ciolli. Im Jahr 2011 wurde Frank vom Vermieter zum Umzug in eine neue Unterkunft gezwungen, da der Steinofen die gesetzlichen Auflagen nicht mehr erfüllte. Zwischenzeitlich langweilte Patsy sich im Ruhestand und entschied, eine neue Pizzeria zu eröffnen. 2012 feierte „Juliana's" Einstand – und zwar in Grimaldis ursprünglicher Adresse, inklusive neuem Steinofen. Frank, der nur einige Häuser weiter gezogen war, klagte auf Wettbewerbsnachteil, und verlor. Dank guter Presse und treuer Stammkundschaft gewann Patsy den Titel der besten Pizza der Stadt für „Juliana's" schnell zurück – zum Ärger seines ehemals besten Kunden.

PIZZA

← **Juliana's**
19 Old Fulton Street, Mo. – Fr. 11:30 a.m. – 10:30 p.m.
Sa. & So. 11:30 a.m. – 11 p.m., julianaspizza.com

← **Grimaldi's**
1 Front Street, Mo. – Fr. 11:30 a.m. – 10:45 p.m.
Sa.12 p.m. – 11:45 p.m., So. 12 p.m – 10:45 p.m., grimaldis.com

Montero's BAR
Einzuordnen in die Kategorie „Spelunke", ist diese familiengeführte Bar eine wahre Institution in Brooklyn Heights. Seit ihrer Einweihung im Jahr 1947 scheint sich hier nicht viel verändert zu haben. Das Interieur ist einfach, schummrig und steht ganz im Seemannsmotto. Grund: In alten Zeiten öffnete das Montero's seine Türen schon früh morgens für die Hafenarbeiter, die direkt von der Nachtschicht her kamen. Heute ist es der perfekte Ort für günstige Drinks, Billard oder Karaoke und einen Plausch mit Fremden an der Bar.

73 Atlantic Avenue, 2 p.m. – 4 a.m.

YORK
YORK

↑ **Pedro's**
Burritos und Cervezas im sympathischen Chaos

Pedro's ESSEN

Gute Preise und gute Stimmung sind bei Pedro's Programm. Im mexikanisch bunten Ambiente dreht sich hier alles um die typische Tex-Mex-Küche mit Nachos, Burritos & Co. Die Portionen sind groß und vor allem günstig. Wer sich bei der Getränkewahl zwischen mexikanischem Bier und der landestypischen Margarita nicht entscheiden kann, wählt einfach die Kombivariante, das „Coronarita".

73 Jay Street, Mo. – Do. 11 a.m. – 9 p.m.
Fr. – So. 12 p.m. – 11 p.m., pedrosdumbo.net

powerHouse Arena KAUFEN

Puristischer Buchladen mit tollem Angebot an Brooklyn Accessoires wie Postkarten, Postern und Kalendern. Auf Tapeziertischen liegen neben den Kunstbüchern und Bildbänden, die der powerHouse-Verlag eigens publiziert, auch Romane, Sach- und Kinderbücher. Am Abend finden oft Lesungen bekannter Autoren statt, und die nächtlichen Partys zu Buchveröffentlichungen sind legendär.

37 Main Street, Mo. – Mi. 10 a.m. – 7 p.m.
Do. & Fr. 10 a.m. – 8 p.m., Sa. 11 a.m. – 8 p.m.
So. 11 a.m – 7 p.m., powerhousearena.com

St. Ann's Warehouse MACHEN

Für ein kulturelles Abendprogramm (Theater und Konzerte) lohnt ein Blick auf den Spielplan im St. Ann's. In dem traditionellen Spielhaus mit seiner über 100 Jahre alten Geschichte traten schon Künstler wie David Bowie, Nick Cave und Lou Reed auf. Seit 2015 befindet sich die Bühne in einem alten Tabakspeicher gleich gegenüber von → Jane's Carousel.

45 Water Street, Di. – So., Öffnungszeiten nach Spielplan, Tickets gibt es online oder im Ticketbüro vor Ort von Dienstag bis Sonntag, 1 p.m. bis 7 p.m.
stannswarehouse.org

↑ **Superfine**
Gutes Essen, Drinks und Live-Musik

Superfine ESSEN

Charmanter Gastropub, der durch seine Schlichtheit besticht und in vieler Hinsicht typisch Brooklyn ist: Die Backsteinwände und zusammen gewürfelten Bistrotische sind mehr hip als schick. Alle Gerichte auf der Karte – amerikanische Klassiker von Burger bis Rippchen – sind betont bio und die Zutaten aus regionalem Anbau. Und wer genau aufpasst, hört wie oben drüber die Subway über die Manhattan Bridge donnert. Abends oft Live-Musik und jeden Sonntag Brunch.

126 Front Street, Di. – Sa. 11:30 a.m. – 11 p.m.
So. 11 a.m. – 10 p.m., superfine.nyc

↑ **Montague Street**
Auch jenseits des Wassers lohnt ein Spaziergang durch die Neighborhood

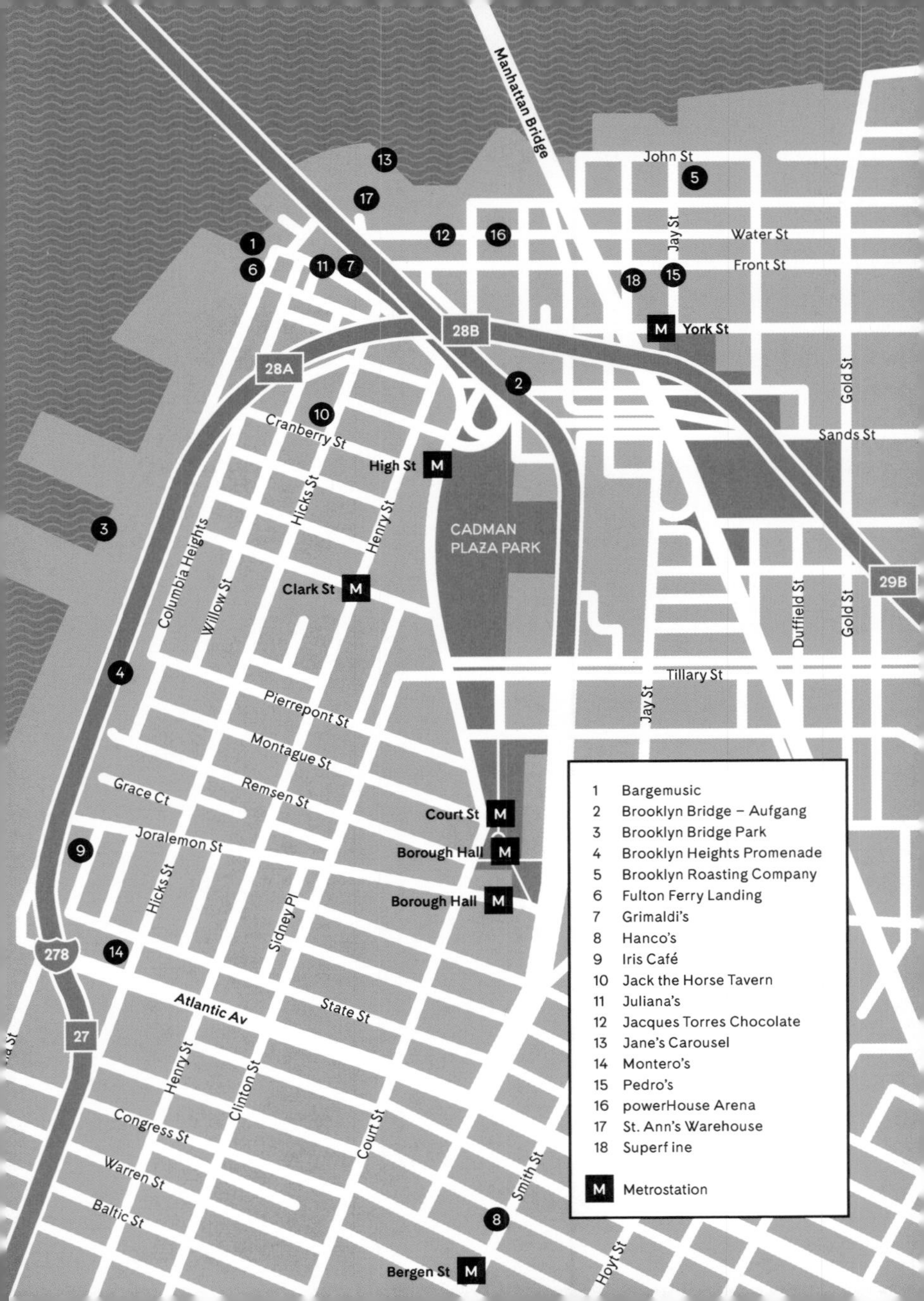

Manhattan Bridge
John St
Water St
Front St
Jay St
York St
Gold St
Sands St
28A
28B
29B
Cranberry St
High St
Hicks St
Henry St
CADMAN PLAZA PARK
Clark St
Columbia Heights
Willow St
Duffield St
Tillary St
Pierrepont St
Montague St
Remsen St
Grace Ct
Joralemon St
Court St
Borough Hall
Borough Hall
Sidney Pl
278
Atlantic Av
State St
27
Henry St
Clinton St
Court St
Congress St
Warren St
Baltic St
Smith St
Hoyt St
Bergen St
1 Bargemusic
2 Brooklyn Bridge – Aufgang
3 Brooklyn Bridge Park
4 Brooklyn Heights Promenade
5 Brooklyn Roasting Company
6 Fulton Ferry Landing
7 Grimaldi's
8 Hanco's
9 Iris Café
10 Jack the Horse Tavern
11 Juliana's
12 Jacques Torres Chocolate
13 Jane's Carousel
14 Montero's
15 Pedro's
16 powerHouse Arena
17 St. Ann's Warehouse
18 Superfine
M Metrostation

Jan Bell

BROOKLYN AMERICANA MUSIC FESTIVAL

Wer auf Live-Musik, vor allem Country und Bluegrass steht, der wird Jan Bell lieben. Die gebürtige Nordengländerin ist fester Bestandteil dieser Musik-Szene, Festival-Organisatorin und lebt seit jeher in DUMBO.

Wie kamst du nach Brooklyn?
Ich war Betreuerin für Summer Camps in New York, lernte viele Künstler kennen und wollte nicht mehr weg. In den 90ern zogen viele nach Brooklyn, auch ich. Nach 9/11 trieb es noch mehr raus aus Manhattan. Sie fühlten sich hier sicherer. Da Sicherheit meist auch viel Geld kostet, kam es oft zu Mieterhöhungen. In DUMBO war es anders. Hier wurden keine armen Familien vertrieben, sondern die Menschen haben sich leere Lagerhallen bewohnbar gemacht. Oft, indem sie einen Trick anwandten. Als der Vermieter fragte, für was man die Räume nutzen würde, antworteten viele, sie seien Fotografen, denn die benötigen fließendes Wasser, um ihre Bilder zu entwickeln – klar, dass sie dann einen Wasseranschluss bekamen.

Was sind deine Lieblingsspots?
Das → Superfine in DUMBO ist quasi meine Wahlfamilie hier in Brooklyn. Die drei Inhaber sind alle Künstler, und auch die Einrichtung kommt von Freunden aus der Szene. Ich war dabei, als es zum ersten Mal Entertainment in der Bar gab. Heute findet jeden Sonntag ein Country- und Bluegrass-Brunch statt – hier erledige ich die Organisation und die Bookings. Einer meiner liebsten Spots ist direkt am Wasser in Red Hook: → Sunny's Bar. Ein toller Ort.

Du bist Organisatorin des Brooklyn Americana Music Festivals?
Ja, das Festival findet immer Ende September statt. Drei Tage lang Live-Musik. Vieles läuft nach der Devise „eine Hand wäscht die andere". Genau das gefällt mir so an dieser Szene und diesen Menschen. Auf dem Festival trete ich mit meiner Band, den „Maybells", auch selbst auf.

Was denkst du über die zunehmende Gentrifizierung?
New York verändert sich ständig. Ich bin zufrieden, dass ich von der Feuerleiter meines Gebäudes noch immer den Fluss sehe. Vor allem, weil es auch schon weit Schlimmeres gab. Als ich hierher kam, waren die Straßen alles andere als sicher. Selbst wilde Hunde haben einem täglich Angst eingejagt.

Aber du hast nie darüber nachgedacht, wegzuziehen?
Ich bin seit 17 Jahren ständig unterwegs, komme aber immer wieder zurück. Ich habe mich in diese Neighborhood verliebt und der Stadt bereits viele Songs gewidmet. Hier in Brooklyn ist alles relaxter als in Manhattan. Für mich ist jeder und alles hier, und man hat einfach die bessere Aussicht.

bkamf.com

BoCoCa

BoCoCa ist die gern genutzte Abkürzung für die Stadtteile Boerum Hill, Cobble Hill und Carroll Gardens. Die drei Bezirke werden durch die beiden Hauptstraßen Smith und Court Street miteinander verbunden und durch kleine, gepflegte Parks verschönert. Das Trio im Herzen Brooklyns lädt tagsüber zum Spaziergang inmitten der hübschen Wohnviertel oder zum Einkaufsbummel durch die vielen kleinen Geschäfte ein. Zu späterer Stunde bieten insbesondere die Smith, Court und Henry Street ein abwechslungsreiches Abendprogramm. Brooklyn zeigt sich mit BoCoCa von zwei unterschiedlichen Seiten: Trendige Läden und angesagte Bars existieren hier Seite an Seite mit Traditionsgeschäften und familiengeführten Restaurants. Dass die Gegend im 19. Jahrhundert vor allem Anlaufpunkt für italienische Einwanderer war, ist heute noch an der Dichte der landestypischen Bäckereien und Pizzerien erkennbar. Während Cobble Hill und Carroll Gardens durch ihre Nähe zum Hafen früher auch als Heimat der Arbeiterklasse galten, gehören sie mittlerweile zum teuersten Wohnraum Brooklyns. Doch auch, wer hier nicht lebt, fühlt sich bei einem Ausflug nach BoCoCa ganz bestimmt wohl und willkommen.

M Subway-Linien F und G bis Haltestelle Bergen oder Carroll Street. Linien A, C und G bis Haltestelle Hoyt-Schermerhorn.

Runnin' Wild
Kids Shoes
Est. 2012
Cobble Hill
Brooklyn
COBBLE HILL THINK TANK

Bar Tabac ESSEN

Das französische Bistro strahlt eine lebhafte Energie aus und bringt einen Hauch Bohème auf die Smith Street. Mit ihrer 60er Jahre-Atmosphäre und dem aufkommenden Gemeinschaftsgefühl vermittelt die Bar Tabac ein authentisch-französisches Bild und wirkt dabei herrlich lokal. Jazz-Musik viermal die Woche, üppiger Brunch am Wochenende und unwiderstehliche Häppchen begründen die vielen treuen Stammkunden.

128 Smith Street, So. – Di. 11 a.m. – 1 a.m.
Mi. & Do. 11 a.m. – 2 a.m., Fr. & Sa. 11 a.m. – 3 a.m.
bartabacny.com

Unglaublich, dass eines der meistverschmutzten Gewässer der USA an eine der beliebtesten Wohngegenden New York Citys grenzt. Der Gowanus Canal wurde einst angelegt als Wasserstraße im industriellen Brooklyn des 19. Jahrhunderts. Heute birgt er über 150 Jahre Abwasser, gilt als hoch vergiftet und verseucht, gar gefährlich. Während diverse Versuche der Bereinigung bisher erfolglos blieben, kam eine Trockenlegung nie in Frage. Der Kanal strahlt mit seinem Stillstand und seiner Verlassenheit mitten im lebhaften Brooklyn eine gewisse Faszination aus und diente schon so manchem Künstler als gespenstige Inspiration. Anekdoten und Andenken gibt es zur Genüge im Gowanus Souvenir Shop.

gowanussouvenir.com

Bien Cuit CAFÉ

Ein Paradies für Patisserie-Enthusiasten. Unbedingt die perfekten, buttrig-zarten Mandel-Croissants probieren. Das Geheimnis liegt in der Reihenfolge: Zuerst werden sie kurz gebacken, dann aufgeschnitten, großzügig mit Marzipan gefüllt, um sie danach ein zweites Mal zu backen bis sie ‚bien cuit' (gut durch) sind. Auch wenn sich die Bäckerei allein durch diese liebevoll gefertigte Spezialität halten könnte, warten hier viele weitere Leckereien. „Hauptsache Kohlenhydrate" lautet die sympathische Devise des Chefkonditors.

120 Smith Street, 7 a.m. – 8 p.m.
biencuit.com

BookCourt KAUFEN

Der kleine familienbetriebene Buchladen wurde im Herbst 1981 eröffnet und gehört mehr als 30 Jahre später zum festen Etablissement der Nachbarschaft. Neben der großen, genreübergreifenden Auswahl von Fiktion und Sachbüchern bis zu Gedichten und Kinderbüchern locken vor allem die vielen Sonderaktionen und Angebote. Wer eine Leseidee braucht, nicht verzagen: Die freundlichen Mitarbeiter sprechen gerne Empfehlungen aus.

163 Court Street, Mo. – Sa. 9 a.m. – 10 p.m.
So. 10 a.m. – 10 p.m., bookcourt.com

By Brooklyn KAUFEN

Der Name ist Programm: Dieser kleine Laden verkauft ausschließlich Produkte, die in Brooklyn hergestellt wurden. Kleine und feine Dinge wie Schreibwaren, Kosmetik und verschiedene Leckereien finden so ihren Weg von Brooklyns Designern in die Hände von Stammkunden und Besuchern, die dieses freundliche Geschäft erstmalig betreten. Wer ein Brooklyn-Souvenir sucht, wird hier garantiert fündig!

261 Smith Street, Mo. – Mi. 11 a.m. – 7 p.m.
Do. – Sa. 11 a.m. – 8 p.m., So. 11 a.m. – 7 p.m.
bybrooklyn.com

↓ **Carroll Park**
Beliebter Treffpunkt in Brooklyn

↑ **BookCourt**
Stöbern und Schmökern

Brooklyn Farmacy & Soda Fountain CAFÉ

Peter Freeman und Gia Giasullo machten sich 2010 die Mühe, dieses Café der 20er Jahre neu zu erfinden. Jede Brause wird aus hauseigenem Sirup hergestellt, die Eiscreme kommt von der New Yorker Adirondack Creamery, und die Auswahl an hausgemachten Cupcakes, Torten und selbstgemachten Nostalgie-Süßigkeiten wechselt täglich. Die besten Plätze sind die wenigen am Tresen. Denn hier kann die Zubereitung der selbst zusammengestellten, typisch amerikanischen Eis-Spezialitäten wie „Sundae“ (Softeis) oder „Float“ (Eiscreme im Sprudelgetränk) direkt beobachtet werden.

513 Henry Street, So. – Do. 10 a.m. – 10 p.m.
Fr. & Sa. 10 a.m. – 11 p.m.
brooklynfarmacyandsodafountain.com

↓ **Brooklyn Farmacy & Soda Fountain**
Ausgefallene Eis-Variationen

Brooklyn Inn BAR

Als eine der ältesten Bars in Brooklyn braucht diese Institution keinen Schnickschnack, sondern einfach nur faire Bierpreise, Standard-Cocktails und einen Billard-Tisch. Diese simple Formel funktioniert wunderbar, denn das Brooklyn Inn ist immer gut besucht. Bemerkenswert sind die hohen Decken und großen Fenster, die die verwinkelten Räume gefühlt vergrößern. In ihrer Schlichtheit ist die Bar der Inbegriff von Boerum Hill.

148 Hoyt Street, Mo. – Do. 4 p.m. – 2 a.m.
Fr. 3 p.m. – 2 a.m., Sa. & So. 2 p.m. – 2 a.m.

↓ **Cafe Pedlar**
Mini Coffee Shop in Cobble Hill

Brooklyn Social BAR

Als einstiger elitärer Social Club stimmt hier in punkto Nostalgie alles. Auf der Eingangstür steht heute „non-members welcome", Ventilatoren rotieren schwerfällig unter der Decke und im Hintergrund läuft leise Duke Ellington. Die Barmänner veredeln das Bild mit ihren Krawatten, gepflegten Schnäuzern und gekonnt gemixten Cocktails wie etwa dem „Riposto" (Vodka, Mandarinen-Scheiben, Triple Sec und frischer Rosmarin). Ein Gespür für das „alte" Brooklyn zu bekommen war noch nie so einfach wie hier.

335 Smith Street, tägl. ab 5 p.m., Ende offen.
brooklynsocialbar.com

↑ **Zwischen den Boroughs**
In Brooklyn fährt die Subway oft überirdisch

Brooklyn Tattoo MACHEN

Ein Besuch geht hier im wahrsten Sinne des Wortes unter die Haut. Besitzer Adam Suerte ist in Boerum Hill geboren und aufgewachsen. Umso glücklicher ist er, dass auch sein Tattoo-Laden hier Platz gefunden hat. Wer eine dauerhafte Brooklyn-Erinnerung möchte, ist bei Adam in besten Händen.

99 Smith Street, Di. – So. 12 p.m. – 9 p.m.
brooklyntattoo.com

SACKETT
857
718.875.1

Cafe Pedlar CAFÉ

Kleiner Coffee Shop mit Fokus auf das Wesentliche: Die geschulten Barristas kreieren hervorragende Kaffeegetränke aus den Mischungen der nahegelegenen Rösterei „Stumptown". Sitzgelegenheiten sind knapp, dafür gibt es zum Coffee to-go noch etwas Süßes auf die Hand – vielleicht eine Kardamom-Apfeltasche? Feinschmecker werden auch die Auswahl an alternativen Röstungen lieben, wie etwa den berüchtigten „Mad Cap Coffee" aus Grand Rapids in Michigan oder den „Anchored Coffee" aus Dartmouth in Novia Scotia.

210 Court Street, Mo. – Fr. 7 a.m. – 7 p.m.
cafepedlar.com

Cobble Hill Cinemas MACHEN

Dieses kleine Kino mit nur zwei Filmsälen versprüht den Charme der 60er Jahre. Mit einer gelungenen Mischung aus Erstausstrahlungen und Independent-Filmen aus aller Welt zieht es allabendlich Menschen aus ganz Brooklyn nach Cobble Hill.

265 Court Street, Öffnungszeiten
je nach Filmprogramm, cobblehilltheatre.com

Cobble Hill Park SEHEN
Einer der bezauberndsten kleinen Parks in ganz New York liegt mitten in Cobble Hill. Unter der Woche ist er ein beliebter Treffpunkt von Nannys verschiedener Herkunft, am Wochenende kommen die Eltern dann höchst persönlich mit ihren Kids in den Park zum Picknick. Nicht selten gibt es Gitarrenmusik kostenlos dazu.

Ecke Congress Street und Clinton Street.

↓ **Hank's Saloon**
Charmante Spelunke und ein Brooklyn-Original

Court Pastry Shop KAUFEN
Als Überbleibsel der italienisch geprägten Vergangenheit des Viertels bietet diese Patisserie landestypische Klassiker wie Cannoli, Biscotti und Co. pfundweise an – und das zu absolut fairen Preisen. Unvergleichbar für die Gegend ist hier auch das fantastische italienische Eis. Unbedingt ausprobieren und unterstützen, um diesen Hauch Italien in Cobble Hill aufrecht zu halten.

298 Court Street, Mo. – Sa. 8 a.m. – 8 p.m.
So. 8 a.m. – 7 p.m.

Gowanus Yacht Club BAR/ESSEN
Wer sich bei „Yacht Club" auf Luxus und Glamour freut, wird enttäuscht. Herrlich abgeschrabbelte Bierzeltgarnituren schmücken stattdessen die Outdoor-Bar. Zu trinken gibt es günstiges Bier aus der Dose oder Pitchers mit Craft Bier. Die Karte verspricht alles Grillbare: Hotdogs, Hamburger, Kielbasa und Knockwurst. Idealerweise liegt die Bar direkt neben der Haltestelle Carroll Street (Linien F/G), so dass man quasi in die Subway fallen kann.

323 Smith Street, Mo. – Fr. ab 3 p.m., Sa. & So. ab 12 p.m. Ende offen.

Hank's Saloon BAR
Mit schwarzem Anstrich und orangenen Flammen sieht die Bar von außen aus, als stünde man vor der Hölle. Auch innen ist es schummrig, eng und ziemlich heruntergekommen. Wer genau hinschaut, versteht, warum: Einrichtung und Dekor erzählen fast 100 Jahre Kneipengeschichte. Die einst handgefertigte Holzbar, Glasvitrinen und gusseiserne Säulenverzierungen erinnern an die goldenen Zeiten, als die Stammkundschaft hier ansässige Bauarbeiter waren. Heute ist Hank's eine der letzten Spelunken der Gegend – mit billigem Bier und lauter Musik.

46 3rd Avenue, Mo. – Sa. 11 a.m. – 4 a.m.
So. 12 p.m. – 4 a.m., hankssaloon.com

↑ **Lobo**
Die schönsten Plätze sind die am Fenster

Henry Public BAR
In einer ruhig gelegenen Straße in Cobble Hill liegt diese charmante Taverne im Stil eines alten Saloons. Sie ist eine Hommage an die Geschichte Brooklyns, deren Einwohner und den revolutionären Gedanken des späten 19. Jahrhunderts. Selbst Abstinenzler Walt Whitman hätte sich beim Anblick des zinkbedeckten Walnusstresens heimisch gefühlt. Er könnte ja einfach eine heiße Schokolade bestellen. Und dazu die Spezialität des Hauses, das „Turkey-leg Sandwich". Info für alle Trinkfreudigen: Bier und Weine kommen aus der Region.

329 Henry Street, Mo. – Do. & So. 5 p.m. – 2 a.m.
Fr. & Sa. 5 p.m. – 4 a.m., henrypublic.com

↑ **Staubitz Market**
Nostalgie-Metzger und Feinkost

Joya ESSEN
Thailändische Restaurants findet man in Brooklyn so einige, allein auf der Court Street gibt es vier in einem Umkreis von 300 Metern. Das Joya ist die vielleicht beste Option und daher immer voll. Größtes Kompliment: Viele Thailänder selbst kommen hier regelmäßig essen oder holen sich die heimischen Gerichte zum Mitnehmen.

215 Court Street, Mo. – Fr. 12 p.m. – 11 p.m.
Sa. & So. 1 p.m. – 11 p.m.

Lobo ESSEN
Toller Tex-Mex-Laden mit lockerer Atmosphäre und fantastischen Margaritas. Ob draußen auf der Terrasse oder drinnen auf den mit Kuhfell überzogenen Bänken: Ein Essen bei Lobo wird sicher gemütlich! Zur Begrüßung gibt es Nachos und hausgemachte Salsa aufs Haus. Täglich wechselnde Getränke-Specials!

218 Court Street, Mo. – Mi. 10 a.m. – 11 p.m.
Do. 11 a.m. – 12 a.m., Fr. & Sa. 10 a.m. – 12 a.m.
So. 10 a.m. – 11 p.m., lobonyc.com

Lucali ESSEN
Simpel und so lecker! Eine Karte sucht man hier vergeblich, denn im Lucali gibt es nur ein Gericht: Im Steinofen gebackene Pizza, ganz einfach mit Käse, Basilikum und Knoblauch belegt. Wahlweise können noch Salami und saisonales Gemüse dazu bestellt werden. Durch das BYOB-Konzept („bring your own bottle") dürfen eigene Getränke mitgebracht werden. Die gibt es zum Beispiel in einem der drei Liquor-Stores auf der Court Street.

575 Henry Street, Mi. – Mo. 6 p.m. – 10 p.m.
lucali.com

New York Transit Museum SEHEN

Dieses besondere Museum erzählt die Geschichte eines der ältesten öffentlichen Verkehrssysteme der Welt – der New York City Subway. Neben Fotodokumentationen und kleinen Ausstellungsstücken stehen in dem stillgelegten U-Bahnhof auch diverse Waggons zur Schau und zur Begehung bereit. Ein netter Abschluss ist der Museumsshop. Hier gibt es von Flip-Flops bis hin zum Regenschirm alles Mögliche im Design der legendären New York City-Subway-Karte.

Ecke Boerum Place and Schermerhorn Street
Di. – Fr. 10 a.m. – 4 p.m., Sa. & So. 11 a.m. – 5 p.m.
web.mta.info/mta/museum

↓ **Pau Hana**
Für Mani- und Pediküre zwischendurch

↑ **Buttermilk Channel**
Moderne amerikanische Küche in gemütlichem Bistro-Ambiente

Prime Meats ESSEN

Das urige Restaurant, in dem sich alles um Fleisch dreht, ist inspiriert von deutscher Bergküche, kombiniert mit der für Brooklyn typischen Nachhaltigkeit – frisch, lokal, ehrlich. Teilhaber Frank Castrovono lernte die deutsche Küchenkunst bei seinem Schwiegervater, einem Bäcker aus Freiburg. Auf der Karte stehen aber nicht etwa Würstchen und Kasseler, sondern Fleischvariationen von Burger über Gulasch bis hin zum Steak. Portionen sind groß und natürlich reich an ausgezeichnetem Fleisch.

465 Court Street, Mo. – Do. 11 a.m. – 11 p.m.
Fr. 11 a.m. – 12 a.m., Sa. 10 a.m. – 12 a.m.
So. 10 a.m. – 11 p.m., frankspm.com

Rucola ESSEN
Im Herzen von Boerum Hill liegt dieses rustikale norditalienische Restaurant. Zur Wahl stehen hausgemachte Pasta und immer wechselnde Fleisch- und Fischgerichte. Mittags gibt es Pizza. Egal, was auf den Teller kommt – die Philosophie im Rucola lautet „von der Farm auf den Tisch", sprich: alle Zutaten werden lokal bezogen, selbst Wein und Bier. Unbedingt Platz für einen Nachtisch lassen, zum Beispiel für ein Stück Pie aus der Bäckerei Four & Twenty Blackbirds im Stadtteil Gowanus.

190 Dean Street, Mo. – Fr. 8:30 a.m. – 4 p.m. und 5:30 p.m. – 12 a.m., Sa. & So. 10 a.m. – 4 p.m. und 5:30 p.m. – 12 a.m., rucolabrooklyn.com

↑ **Cobble Hill Park**
Kleine grüne Oase

Sam's Restaurant ESSEN
Ein Essen bei Sam's ist wie eine Zeitreise in vergangene Tage. Das Restaurant hat seit den 30er Jahren alle Trends und Veränderungen überlebt, die das moderne BoCoCa bis heute geprägt haben. Die roten Ledersitze, Lacktischdecken und die verblichenen Fotos von längst vergessenen Schauspielern erzählen ein Stück Brooklyn-Vergangenheit. Die Spezialitäten des Hauses sind die riesigen Pizzen sowie italienisch-amerikanische Klassiker wie „Chicken Parmigiana".

238 Court Street, 12 p.m. – 10 p.m.

Something Else KAUFEN
Auf der Suche nach einer günstigen Levis-Jeans, einem Herschel Rucksack oder einer warmen Jacke von Patagonia? Dann auf zu Something Else! Besitzer Doug Grater verkauft ausgesuchte Markenartikel zu erstaunlich guten Preisen. Am besten immer direkt zuschlagen! Neue Ware ist oft innerhalb weniger Tage schon wieder ausverkauft. Eine weitere Filiale liegt auf der 5th Avenue in Park Slope.

144 Smith Street, Mo. – Sa. 12 p.m. – 8 p.m.
So. 12 p.m. – 7 p.m.

Trader Joe's Supermarket KAUFEN
Der beliebte Supermarkt hat ein einfaches Konzept: Produkte sind bio, minimal verpackt und günstig. Ein Einkauf wird hier zum Erlebnis, denn Brot liegt im „Breadway", Knabberzeug bei „Snacks and the City" und probiert werden darf bei der „Grand Sample Station". Mit insgesamt 40 Filialen, vier davon in New York City, ist Trader Joe's die größte Biomarkt-Kette der USA. Wenig überraschend, dass das Unternehmen dem deutschen ALDI-Imperium angehört.

130 Court Street, Mo. – So. 8 a.m. – 10 p.m.
traderjoes.com

Remsen St
Joralemon St
Court St
Borough Hall
Borough Hall
Jay St - MetroTech
Hicks St
Sidney Pl
State St
278
Atlantic Av
Schermerhorn St
Hoyt St
Livingston St
27
Henry St
Clinton St
Amity St
Pacific St
Schermerhorn
Congress St
Atlantic Av
Dean St
Smith St
Warren St
Bergen St
Baltic St
Wyckoff St
Hoyt St
278
Kane St
Bergen St
Bond St
Cheever Pl
Warren St
Strong Pl
Baltic St
Tompkins Pl
Degraw St
Bulter St
Sackett St
Douglass St
Union St
President St
Carroll St
1st Pl
Carroll St
Clinton St
2nd Pl
Court St
Carroll St
3rd Pl
2nd St
1st St
4th Pl
Smith St
4th St
3rd St
Luquer St
5th St
Nelson St
478
1 Bar Tabac
2 BookCourt
3 By Brooklyn
4 Brooklyn Farmacy & Soda Fountain
5 Brooklyn Inn
6 Brooklyn Social
7 Brooklyn Tattoo
8 Cafe Pedlar
9 Cobble Hill Cinemas
10 Cobble Hill Park
11 Court Pastry Shop
12 Gowanus Yacht Club
13 Henry Public
14 Joya
15 Lobo
16 Lucali
17 New York Transit Museum
18 Prime Meats
19 Rucola
20 Sam's Restaurant
21 Something Else
22 Trader Joe's
M Metrostation

TATTOO
WE HAVE GIFT CERTIFICATES
NO. YOUR MOTHER CAN'T SIGN FOR YOU
WE CHARGE BY THE HOUR NOT THE LETTER
YOU MUST HAVE I.D. NO MATTER HOW OLD YOU ARE
WE ARE LICENSED BY THE BOARD OF HEALTH
ROO

Adam Suerte

BROOKLYN TATTOO

Tätowierer und Künstler Adam Suerte ist in South Brooklyn geboren und aufgewachsen. Er hat eine Vorliebe für Stadtmotive, besonders für Brooklyn. Seine Inspiration schöpft Adam aus seiner Zeit als Graffiti-Sprayer und der sich stetig wandelnden Landschaft seiner Heimatstadt. „Durch die Gentrifizierung hat sich Brooklyn drastisch verändert. Ich möchte die feinen Details festhalten, bevor sie komplett verschwinden", sagt er. „Die Leute kommen oft gezielt zu mir, um sich ein Tattoo von Brooklyn oder einem ähnlich urbanen Thema stechen zu lassen. Sie wollen eine Erinnerung von dem Ort, in dem sie aufwuchsen oder den sie zu ihrem Zuhause machten. Touristen möchten ein Brooklyn-Motiv als Souvenir, so wie die Segler es damals taten, um ihre Reisen für immer festzuhalten."

Wie kam Adam zum Tätowieren? „Hier ergab eins das andere. Nach dem College gründete ich ein Kollektiv namens Urban Folk Art (UFA), in dem sich viele Künstler zusammenfanden, um ihre Kunst zu präsentieren. Nebenbei betrieben wir einen Siebdruckladen, um unsere Kosten zu decken. Ein Kunde bot mir einen Tattoo-Praktikumsplatz an. Ich sagte zu, und die Arbeit gefiel mir so gut, dass ich 2002 das ‚Brooklyn Tattoo' eröffnete." Die UFA-Galerie befindet sich gleich nebenan. Neben seinem Vollzeitjob im Tattoo-Shop präsentiert Suerte hier seine Kunst. Von „Sneakers, die von einer Straßenlaterne baumeln" bis zum „Ausblick von der Brooklyn Promenade" ist alles dabei. Wer ohne Tätowierung ein Stück Brooklyn mit nach Hause nehmen möchte, kauft einfach ein T-Shirt des Kollektivs.

Selbst mit Tätowierungen übersät und meist düster dreinblickend, wirkt Adam zunächst wie ein ganz harter Kerl. Genauer hingeschaut, erkennt man hinter der coolen Fassade einen liebevollen, heimatverbundenen Familienmenschen, der seine wenige freie Zeit am liebsten mit seinen Kindern im Brooklyn Bridge Park oder in Coney Island verbringt. Eigentlich distanziert sich Adam von Namenstätowierungen, außer es handelt sich um Blutsverwandte. Er selbst trägt voller Stolz die Namen seiner beiden Töchter Ottie und Posy auf den Fingern. Die Namen seiner Stieftöchter Trixie und Ione hat er auf den Zehen tätowiert.

„Was mir am meisten an Brooklyn gefällt? Ich muss nicht senkrecht nach oben gucken, um den Himmel zu sehen. Brooklyn ist einfach weniger dicht bebaut. Man hat noch Platz zum Atmen. Die Leute sind nicht so hektisch und es herrscht ein Gemeinschaftsgefühl, mit Nachbarn, die sich umeinander kümmern. Brooklyn ist außerdem ein Selbstversorger. Ich muss nicht nach Manhattan, um Kunstbedarf zu besorgen oder eine wilde Feiernacht zu erleben. Das gibt es alles in Brooklyn! Manchmal verlasse ich den Borough wochenlang nicht."

brooklyntattoo.com

Red Hook

Mit maritimem Ambiente und kreativer Szene in industriellem Flair hebt Red Hook sich von anderen Gegenden Brooklyns ab. An drei Seiten vom Wasser umgeben, gehörte der anliegende Hafen einst zu den wichtigsten des Landes. Seit den 70er Jahren wurde der Stadtteil zunehmend bei Künstlern und Kreativen beliebt, die die leer stehenden Lagerhallen zu niedrigen Preisen einnahmen. Wo früher gearbeitet wurde, finden heute regelmäßig Musik- und Kunst-Festivals statt. Wer nach Red Hook kommt, sollte Hunger und Durst mitbringen – das Angebot der Bars und Restaurants ist vielseitig, originell und muss unbedingt getestet werden. Ein Abstecher zum Pier 44 ist ein Muss. Von hier hat man eine einzigartige Aussicht auf die Freiheitsstatue. Dass der Stadtteil vergleichsweise ruhig und von Besucherandrang verschont ist, liegt sicherlich an der mäßigen Verkehrsanbindung. Die entfernte Lage macht ihn allerdings nur noch attraktiver. Wer Red Hook im New Yorker Stil erreichen möchte, der läuft ganz einfach, zum Beispiel im verlängerten Spaziergang vom → Brooklyn Bridge Park über die belebte Van Brunt Street bis zu den Piers.

M IKEA Watertaxi vom Pier 11 im Financial District in Manhattan nach Red Hook (am Wochenende umsonst, unter der Woche $5, die bei einem IKEA-Einkauf erstattet werden). Buslinie B61 bis Haltestelle Van Brunt Street oder Van Dyke Street.

↑ **Fort Defiance**
Bar & Bistro – besonders beliebt bei Locals

Brooklyn Crab House BAR/ESSEN
Ein Stück Neuengland in Red Hook! Die Karte des Brooklyn Crab House bietet neben Klassikern wie Fish 'n' Chips und Clam Chowder lokale Biere. Drinnen überzeugt der Barbereich durch urige Fischereinrichtung und Blick auf den Hudson River. Im Sommer kommt draußen auf der Dachterrasse oder an der Beach Bar zusätzlich Urlaubsstimmung auf. Montags und dienstags gibt es Austern im Angebot!

24 Reed Street, 11:30 a.m. – 10 p.m.
brooklyncrab.com

Cacao Prieto KAUFEN
Als Schnapsbrennerei und Schokoladenfabrik hat das Cacao Prieto gleich doppelte Daseinsberechtigung. Ort des Geschehens ist eine ehemalige Lagerhalle in einem der typischen Backsteinhäuser. Am Wochenende geben geführte Touren (Sa. & So. 12, 2 und 4 p.m.) einen Einblick in die Herstellung. Im integrierten Laden gibt es Schoki und Hochprozentiges (Rum, Whiskey, Likör) gleich zum Mitnehmen.

218 Conover Street
Mo. – Fr. 9 a.m. – 5 p.m., Sa. & So. 11 a.m. – 7 p.m.
cacaoprieto.com

Erie Basin KAUFEN
Kleiner Antikladen, der vor allem für seinen Schmuck bekannt ist. Inhaber Russell Whitmore wird von Kennern und Laien dafür geschätzt, besonders zeitgemäße, antike Schmuckstücke aufzutreiben und zu verkaufen. Hier werden selbst Hochzeitsringe gebraucht gekauft. Die Stücke gehen zurück bis ins 18. Jahrhundert und kosten zwischen 30 und 30.000 Dollar.

388 Van Brunt Street, Mi – Sa. 12 p.m. – 6 p.m.
eriebasin.com

Fort Defiance BAR/ESSEN
„Cafe & Bar" steht außen dran, drinnen gibt es starken Kaffee und vor allem ausgezeichnete Drinks. Auf Wunsch mixt der Barkeeper individuell nach Geschmack, Charakter oder Stimmung. Zum Brunch, Lunch oder Dinner bietet die Speisekarte einfache amerikanische Küche, aufgewertet durch saisonbedingte und lokale Zutaten.

365 Van Brunt Street
10 a.m. – 12 a.m., am Wochenende auch länger
fortdefiancebrooklyn.com

↓ **Foxy & Winston**
Originelles von lokalen Designern

↑ **Red Hook Street Art**
Die Klinkerbauten sind bezeichnend für Red Hook

↑ **The Good Fork**
Inhaber Sohui Kim und Ben Schneider

↑ **Raaka Chocolate**
Feinste Schokolade made in Brooklyn

↑ **Steve's Authentic Key Lime Pie**
Steves Limetten-Tarte ist längst stadtbekannt

↑ **Sunny's Bar**
Bar mit Tradition und ganz viel Charme

← Red Hook Waterfront Museum

Foxy and Winston KAUFEN

Diesen Laden mit leeren Händen zu verlassen, ist fast unmöglich. Die britische Inhaberin und gelernte Modedesignerin Jane Buck verkauft lauter nette Kleinigkeiten – Accessoires, Schreibwaren und Textilien – viele davon selbst gemacht. Einmalig ist die Auswahl an Post- und Grußkarten, die Jane individuell und je nach Saison selbst kreiert. Perfekt für Mitbringsel!

392 Van Brunt Street, Mi. – So. 12 p.m. – 6 p.m.
foxyandwinston.com

Hope and Anchor BAR/ESSEN

Burger, Brunch oder Bier – all das gibt es im Hope and Anchor. Das Seemannsmotto zieht sich vom Dekor bis in die Karte. Gerüchten zufolge darf hier nur kellnern, wer ein Anker-Tattoo vorweist. Auf den roten Ledersitzen kommt amerikanische Diner-Stimmung auf. Samstags & sonntags Karaoke!

347 Van Brunt Street, Mo. – Mi. 11:30 a.m. – 11 p.m.
Do. & Fr. 11:30 a.m. – 1 a.m., Sa. 9 a.m. – 1 a.m.
So. 9 a.m. – 10 p.m., hopeandanchorredhook.com

Jalopy Theatre & Tavern BAR/MACHEN

Fühlt sich an wie in Memphis! Imposante Saiteninstrumente hängen von der Decke herab und schmücken die Wände. An der gemütlichen Bar gibt es Bier, Wein und Kaffee. Das Herzstück ist der Theaterraum mit seiner handgebauten Bühne und Kirchenbestuhlung. Fast jeden Abend gibt es hier Folk-, Bluegrass-, oder Country-Musik. Sollte die Musik das Interesse zum Banjo-Spielen geweckt haben, gar kein Problem: Im Jalopy stehen die Vintage-Instrumente auch zum Verkauf. Musik- und Gesangsunterricht gibt es gleich dazu.

315 Columbia Street, Mo. – So. 12 p.m. – 1 a.m., jalopy.biz

Red Hook Boaters MACHEN

Im Sommer lohnt sich ein Abstecher zum Pier im kleinen Louis Valentino Jr. Park besonders. Hier bieten die Red Hook Boaters, eine gemeinnützige Initiative der Nachbarschaft, einen kostenlosen Kayak-Verleih an. So lassen sich die Skyline von Manhattan und die Freiheitsstatue einmal aus einer anderen Perspektive betrachten. Der zugängige Wasserabschnitt ist ruhig und in jedem Fall anfängerfreundlich. Aber aufgepasst: Es könnte nass werden!

Louis Valentino Jr. Park, Ferris Street
Juni-September, So. 1 p.m. – 5 p.m., Do. 6 p.m. – 8 p.m.
redhookboaters.org

Die ursprüngliche niederländische Bezeichnung „Roede Hoek“ (roter Punkt) ist auf die damalige rote Bodenerde der Umgebung zurückzuführen. Ein Blick auf den Stadtplan zeigt deutlich die Form eines Hakens, wodurch der englische Name „Red Hook“ gleich doppelten Sinn ergibt.

Red Hook Lobster Pound ESSEN

Das Angebot dieser stilvollen Imbissbude ist schnell durchschaut: Ob pur, als Suppe oder mit Nudeln – fast alle Gerichte drehen sich hier um Hummer. Besonders beliebt sind die Lobster Rolls (Hummerfilet im Brötchen) in verschiedenen Varianten, darunter „Klassisch“ mit Mayo, „Toskanisch“ mit Vinaigrette oder „Connecticut“ mit Butter.

284 Van Brunt Street, Di. – Do. & So. 11:30 a.m. – 9 p.m.
Fr. & Sa. 11:30 a.m. – 10 p.m., redhooklobster.com

↑ **Brooklyn Crab House**
Strand-Feeling nah am Wasser

Red Hook Waterfront Museum SEHEN
Das kleine auf dem Wasser gelegene Museum gibt Einblick in die Zeit von 1860 bis 1960, als Wasserwege die Hauptverkehrsanbindung in und um New York City waren. Mit den bis ins Kleinste gesammelten und gut erhaltenen Ausstellungsstücken und -fotos wird der damals wichtige Hafenstandort Red Hook nahezu zelebriert. Besonders sehenswert ist der Ort des Geschehens: Das Museum hat seinen Platz auf der letzten Hudson River Barkasse ihrer Zeit, der „Leight Valley No. 79“.

Pier 44, 290 Conover Street, Do. 4 p.m. – 8 p.m.
Sa. 1 p.m. – 5 p.m., Eintritt frei
waterfrontmuseum.org

Steve's Authentic Key Lime Pie CAFÉ
Etwas abseits gelegen, aber unbedingt einen Besuch wert! In einem der roten Ziegelsteingebäude am Wasser versteckt sich diese einfache, charmante Bäckerei. Der Name ist Programm: Groß, klein oder am Stiel – hier gibt es ausschließlich Key Lime Pie (ein Schild warnt: „No, we do not serve coffee!“). Hauptbestandteil sind Limetten von den Florida Keys, der Heimat von Inhaber Steve.

185 Van Dyke Street, 11 a.m. – 4 p.m.
stevesauthentic.com/keylimepie

Sunny's Bar BAR
Seit fast einem Jahrhundert ist sie fest in der Nachbarschaft etabliert und wäre als älteste Gastwirtschaft der Brooklyn-Waterfront kaum noch wegzudenken. Keine andere Bar verkörpert Authentizität und Charakter so gut wie Sunny's Bar. Der klassische New York Saloon, der viele spannende Seemanns-Geschichten birgt, wird von Tone Johansen betrieben. Gemeinsam mit Namensgeber Alberto „Sunny“ Balzano transformierte sie ihn zur kulturellen Hochburg mit Live-Musik, Lesungen, Kunstausstellungen und dem berüchtigten „Saturday Night Bluegrass Jam“.

253 Conover Street, Di. 6 p.m. – 2 a.m.
Mi. – Fr. & So. 4 p.m. – 4 a.m., Sa. 2 p.m. – 4 a.m.
sunnysredhook.com

The Good Fork ESSEN
Das von Kritikern viel gelobte Restaurant bietet saisonale Gerichte mit Zutaten aus der Region und einem Hauch der asiatischen Küche. Good Fork steht auch für gute Nachbarschaft: Gäste können ihr Essen mit Wein der Red Hook Winery und Steve's Authentic Key Lime Pie zum Nachtisch kombinieren. Das Ambiente ist einfach, gemütlich und ein wenig romantisch.

391 Van Brunt Sreet, Di. – Sa. 5:30 p.m. – 10:30 p.m.
So. 5:30 p.m. – 22p.m., Brunch: Sa. & So. 10 a.m. – 3 p.m.
goodfork.com

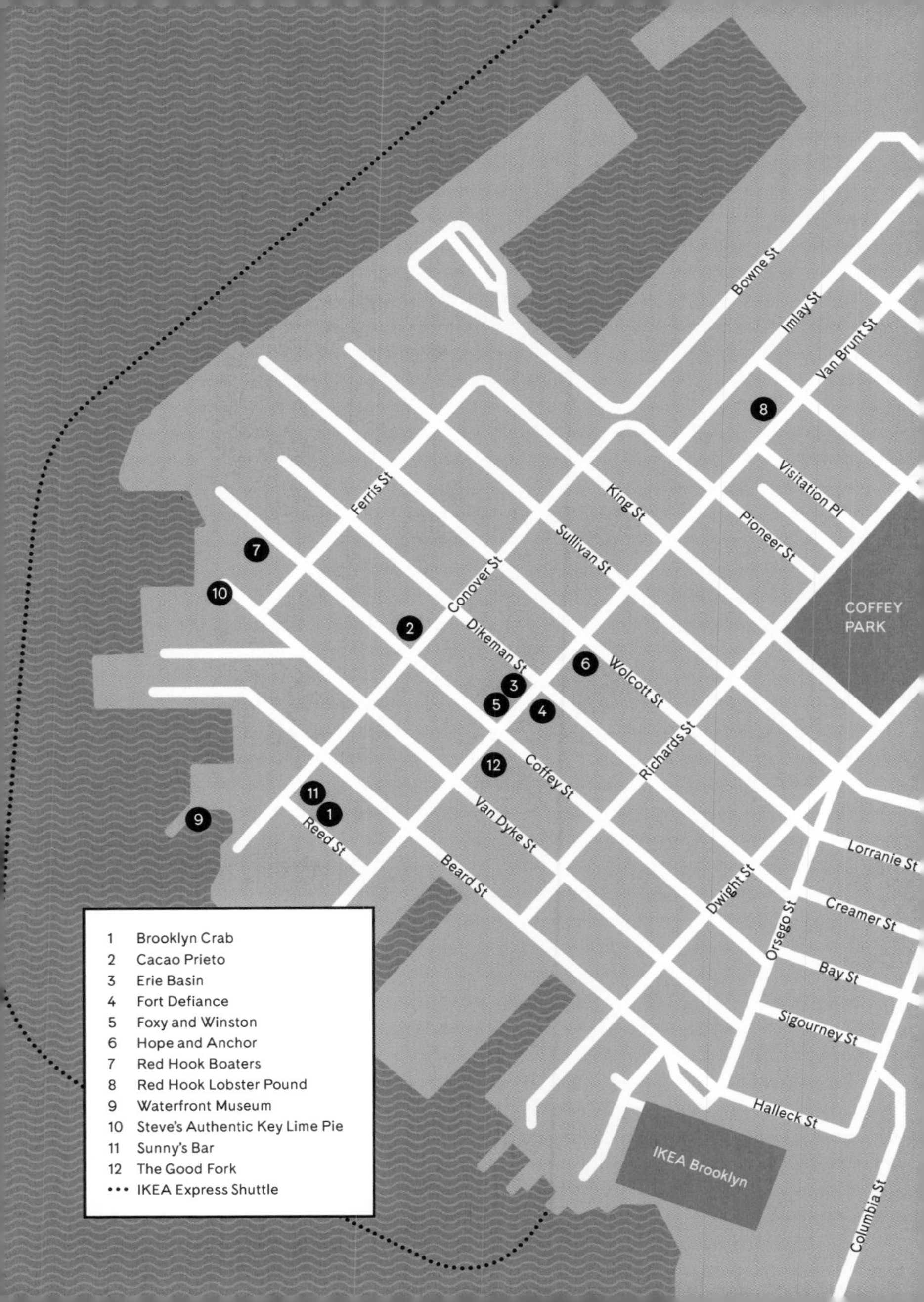

Bowne St
Imlay St
Van Brunt St
Visitation Pl
Pioneer St
King St
Ferris St
Sullivan St
Conover St
Dikeman St
Wolcott St
COFFEY PARK
Richards St
Coffey St
Van Dyke St
Reed St
Beard St
Dwight St
Lorranie St
Creamer St
Orsego St
Bay St
Sigourney St
Halleck St
IKEA Brooklyn
Columbia St
1 Brooklyn Crab
2 Cacao Prieto
3 Erie Basin
4 Fort Defiance
5 Foxy and Winston
6 Hope and Anchor
7 Red Hook Boaters
8 Red Hook Lobster Pound
9 Waterfront Museum
10 Steve's Authentic Key Lime Pie
11 Sunny's Bar
12 The Good Fork
••• IKEA Express Shuttle

Tone Johansen

SUNNY'S BAR

Diesen klassischen New York Saloon gibt es seit über hundert Jahren. Betrieben wird er von Tone Johansen. Benannt ist er nach Antonio „Sunny“ Balzano, der am 10. März 2016 im Alter von 81 Jahren leider verstarb.

Wie kamst du nach Red Hook?

Ich wurde als norwegische Künstlerin auserwählt, am internationalen Studio Programm des MoMA PS1, einer der größten und ältesten Institutionen für zeitgenössische Kunst in den USA, teilzunehmen. Weil ich kein Geld hatte, lebte ich in den schrofferen Teilen der Stadt. So kam ich also nach Red Hook. Der Taxifahrer versuchte mir auszureden, hierher zu ziehen und wollte mich nicht dorthin fahren. Doch ich war schon immer sehr eigenwillig und wusste, wie man überlebt. Red Hook war so fern der New Yorker „Cocktail-Party-Szene“, wie man es sich nur vorstellen kann. Hier gab es Prostitution und Drogendeals direkt vor meinem Fenster. Es war die menschliche Müllhalde der Stadt. Aber eben auch sehr günstig, der Himmel war weit, die Luft frisch und das Meer so nah, wie es nur ging. Genau richtig für mich.

Wie hat es dein Bluegrass in das Brooklyn von damals geschafft?

Ich wuchs auf der Insel Froya in Norwegen auf. Meine Eltern waren Teil der Pfingstbewegung. Das hieß: kein Fernsehen und keine weltliche Musik. Mein Vater brachte mir bei, wie man Gitarre spielt und singt. Bis heute halte ich mich für einen Pop-Ignoranten, einfach nur, weil ich die Musik und die Fernsehshows verpasst habe, die jene Zeit prägten. Ich habe die Insel mit 16 verlassen, distanzierte mich komplett von dieser Kultur und lebte als Punk. Als ich nach Brooklyn zog, traf ich in der Bar auf Kate und Lou Giampetruzzi, die den Bluegrass in Brooklyn am Leben hielten. Ich werde nie vergessen, wie ich die beiden das erste Mal hörte und zu ihnen sagte: „Ihr werdet es nicht glauben, aber ich kann Harmonien zu allen euren Songs singen.“ Hieraus entstand letztendlich der Bluegrass-Jam, den ich nun seit zehn Jahren führe.

Was wünscht du dir für Red Hook?

Ich möchte, dass Red Hook weiterhin ehrliche Menschen mit Charakter und Mut beherbergt. Ich halte nichts von Leuten, die sich verstellen. New York und Brooklyn müssen sich um das wahre kreative Herz der Stadt kümmern. Denn genau das lässt sie pulsieren. Die Kreativität kommt von den Menschen. Wir müssen diese Menschen halten und pflegen. Genau deshalb ist Red Hook mein Zuhause und ich bete, dass die Stadt nicht klinisch rein gemacht wird. Jeder weiß, dass es der angebrannte Topfboden ist, der der Soße ihren Geschmack verleiht. Jeder, der diese Einstellung teilt, ist mein Freund und soll schnell zu uns kommen. Wir warten mit gutem Bier und ehrlicher Musik.

sunnysredhook.com

Greenpoint

Greenpoint ist die nördlichste Neighborhood Brooklyns – sie liegt direkt über Williamsburg und unter Queens. Häufig wird er als der aufstrebende Stadtteil bezeichnet, doch das wissen die Greenpointer längst selbst. Bekannt ist die Gegend vor allem für ihre vielen polnisch-stämmigen Einwohner. Die Ladenschilder wirken so, als kämen sie geradewegs aus Warschau. Lange Zeit galt Greenpoint als wichtiger Dreh- und Angelpunkt für Schiffbauer, Glasmacher und Drucker aus europäischen Ländern. Der Stadtteil entwickelte sich wesentlich langsamer als das benachbarte Williamsburg, was nicht zuletzt daran liegt, dass er über keine direkte Subway-Verbindung nach Manhattan verfügt. Die paar Extraminuten lohnen sich aber definitiv, und der Ausblick auf Downtown Manhattan entschädigt für alles. Kleiner Tipp: Für einen Moment die Augen schließen und den Duft der vielen polnischen Konditoreien einatmen, und schon könnte man meinen, man sei in Europa. Doch nicht alles ist so exotisch: Viele Bars und Restaurants wurden durch die Hipsterwelle in Williamsburg angespült. Der größte Trubel findet auf Greenpoints vier Hauptstraßen – Manhattan Avenue, Nassau Avenue, Greenpoint Avenue und Franklin Street – statt.

M Subway-Linie G bis Haltestelle Nassau oder Greenpoint Avenue. Alternativ mit der East River Ferry bis India Street/Greenpoint.

↑ **Greenpoint**
Street Art in Arbeit

Bakeri CAFÉ
Ein großer rustikaler Tisch in der Mitte, eine handgezeichnete Tapete und viele antike Gegenstände machen dieses kleine europäische Café zu einem begehrten Treffpunkt. Besonders toll: Beim Frühstück kann man den Bäckern durch die offene Küche bei ihrer Arbeit zuschauen.
Von Focaccia bis Financiers – hier ist alles frisch und selbstgemacht. Vegan und glutenfrei gibt es auch.

105 Freeman Street
Mo. – Fr. 7 a.m. – 7 p.m., Sa. & So. 8 a.m. – 7 p.m.
bakeribrooklyn.com

Acme Smoked Fish Corporation KAUFEN
Ein absolutes Muss für alle, die geräucherten Fisch lieben: Die Acme Smoked Fish Corporation öffnet jeden Freitagmorgen ihre Türen, um der Öffentlichkeit ihre Produkte zu Großhandelspreisen anzubieten. Tipp: Früh aufstehen, die Schlange wird lang!

30 Gem Street, Fr. 8 a.m. – 1 p.m.
acmesmokedfish.com

Alter KAUFEN
Der größte Teil dieses Shops basiert auf angesagten Modelabes wie Cheap Monday, Stiska Design und Kill City – hippe Designer, die wissen, wie man minimalistisch schwedische Looks mit Denim-Style verbindet. Auch regionale Designer sind hier stark vertreten. Schön drapiert und zurechtgerückt, findet man hier angesagten Schmuck, aber auch Retro-Sonnenbrillen, Jutebeutel und ausgefallenes Schuhwerk für Sie und Ihn.

140 Franklin Avenue, Mo. – Sa. 12 p.m. – 8 p.m.
So. 12 p.m. – 7 p.m., alterbrooklyn.com

Black Rabbit BAR
Dieser Hase ist dank seiner vollkommen schwarzen Fassade leicht zu erkennen.
Ein wenig Alice im Betrunkenen-Land, ein wenig 19. Jahrhundert Kellerkneipen-Atmosphäre, so lädt diese Bar zum stilvollen Betrinken ein. Die Sitznischen werden von den Saloon-Style Schwingtüren derart verdeckt, dass jede über eine eigene Lampe verfügt, mit der man das Personal herbeirufen kann. An der Bar gibt es eine Vielfalt an ständig wechselnden Drinks wie beispielsweise der „Black List" – Rye Whiskey, flüssiger Ingwer- und Limettensaft.

91 Greenpoint Avenue, Mo. – Do. ab 4 p.m.
Sa. & So. ab 2 p.m., Ende offen.
blackrabbitbarnyc.com

↑ **Bakeri**
Bäckerei und Café-Stimmung fast wie in Europa

↑ **Milk & Roses**
Romantisches Café mit Liebe zum Detail

Brooklyn Night Bazaar KAUFEN/MACHEN

Wuselig wie auf einem Basar geht es hier jeden Freitag- und Samstagabend zu: In einer alten Lagerhalle verkaufen Brooklynites ihr Selbstgemachtes – „Hand Crafted Design“ von Schmuck und Accessoires über Kleidung und Kunst bis hin zu Kosmetik. Auf einer Bühne spielt Live-Musik, und zwischen Essens- und Craft Bier-Ständen bietet sich Gelegenheit zum Hipster-Sport wie Tischtennis oder Hula Hoop.

165 Banker Street, Fr. & Sa. 7 p.m. – 1 a.m.
bkbazaar.com

Die Hausnummer 61 der Greenpoint Avenue beherbergte im 19. Jahrhundert eine Bleistiftfabrik von Johann Eberhard Faber. Als der bayerische Schreibwarenpionier erkannt hatte, dass das amerikanische Zedernholz sich optimal zur Herstellung der dünnen Stifte eignete, zog sein Unternehmergeist ihn nach New York. Die Fabrik in Greenpoint wurde seinerzeit zur größten des Landes und seine Bleistifte weltberühmt. Heute erinnern die 16 überdimensionalen Terrakotta-Stifte, eingearbeitet in die Architektur des Gebäudes, an die Anfänge der Erfolgsgeschichte von Faber-Castell.

Karczma ESSEN

Von den vielen polnischen Restaurants in dieser Gegend ist das familienbetriebene Karczma eines der besten. Die bäuerliche Taverne mit übergroßen Picknick-Tischen und Camping-Laternen strahlt ein unkompliziertes Ambiente aus – selbst die Kellnerinnen tragen traditionelle Kleider aus der Gebirgsregion im Süden Polens. Unbedingt die frittierten Pierogies probieren!

136 Greenpoint Avenue, Mo. – Do. 12 p.m. – 10:30 p.m.
Fr. & Sa. 12 p.m. – 11:30 p.m., So. 12 p.m. – 10 p.m.
karczmabrooklyn.com

Milk & Roses ESSEN

Gemütlicher geht's kaum: Hunderte alte Bücher schmücken die Einbauschränke aus Holz, Kerzenlicht beleuchtet die Marmortische, und ein Klavier vervollständigt die lockere, entspannte Atmosphäre und das Alte-Welt-Ambiente. Auf dem Menü finden sich rustikale, italienische Gerichte wie knusprige Paninis, gefüllt mit geräuchertem Fisch und delikaten Käsesorten. Besonders in den wärmeren Monaten wird der kleine Garten hinter dem Restaurant zu einem romantischen Plätzchen.

1110 Manhattan Avenue, Mo. – Do. 10 a.m. – 12 a.m.
Fr. & Sa. 10 a.m. – 1 a.m., So. 10 a.m. – 11 p.m.
milkandrosesbk.com

↑ **Ovenly**
Süßes Gebackenes – frisch aus dem Ofen

Nights & Weekends BAR
Diese dreieckig geschnittene Bar bietet ein umfassendes Cocktail-Programm und ein vollwertiges Brunch-Angebot, sieben Tage die Woche. Fish-Tacos, mit Chipotle gefüllte Eier und täglich neue Meeresfrüchte stehen bei Küchenchef Nick Kobee auf der Karte. Mit den Betonwänden und dem verwitterten Holz soll die geräumige Bar an eine Autowerkstatt erinnern. Und das tut sie auch. Lediglich die Hebebühne fehlt.

1 Bedford Avenue, Mo. – So. 10 a.m. – 3 a.m.
nightsandweekendsny.com

↑ **Five Leaves**
Bistro mit australischem Einfluss

Northern Territory BAR
Das Team hinter der Roof Top Bar → Berry Park hat sein Erfolgskonzept auch nach Greenpoint gebracht. Ebenso wie in Williamsburg folgt dem rustikalen und geräumigen Erdgeschoss eine große Dachterrasse mit traumhaftem Blick auf Manhattans Skyline. Hier oben gibt es nur ein kleines Menü vom Grill mit Maiskolben, Würstchen und Steak-Sandwiches. Unten sorgt eine komplett eingerichtete Küche für gutes Pub-Food.

12 Franklin Street, Mo. – Fr. ab 5 p.m., Ende offen
Sa. & So. ab 11 a.m., Ende offen.
northernterritorybk.com

No Name Bar BAR
Diese Bar mag keinen Namen haben, dafür aber Charakter. Zu erkennen ist der Eingang allein am massiven Türklopfer in Form eines chinesischen Drachens – ein erster Hinweis auf die exotische Welt, die sich dahinter verbirgt. Der Spitzname „Woodpussy“ kommt vom hölzernen Interieur und von den attraktiven Frauen, die man hier angeblich antrifft. Wem es oben zu schummrig wird, kommt über eine Treppe im hinteren Teil runter in einen üppigen Garten – die wahre Attraktion der Bar.

597 Manhattan Avenue, Mo. – Fr., 5 p.m. – 4 a.m.
Sa. & So. 2 p.m. – 4 a.m.

Ovenly CAFÉ
Unmittelbar am East River gelegen und stets gefüllt mit dem Duft von frisch Gebackenem, ist diese kleine Konditorei bekannt für ihre extravaganten Kreationen wie Pistazien-Agave-Cookies, Vegan-Chocolate-Chip Cookies und Rosmarin-Johannisbeer-Scones. Besonders im Frühling und Sommer empfiehlt es sich, die Köstlichkeiten zum Picknick mitzunehmen – zum Beispiel nur ein paar Meter weiter in den → WNYC Transmitter Park.

31 Greenpoint Avenue, Mo. – Fr. 7:30 a.m. – 7 p.m.
Sa. & So. 8 a.m. – 7 p.m., oven.ly

↑ **Northern Territory**
Entspannte Roof Top Bar

Paulie Gee's ESSEN

Paul „Paulie Gee" Giannone arbeitete jahrelang in einem Job, der ihn langweilte. Eines Tages baute er sich einen Holzhofen und fing an, mit Pizza zu experimentieren. Aus dieser neu entdeckten Passion entstand schließlich das Paulie Gee's. Hier werden überragende Gourmet-Pizzen mit kreativen Belägen serviert. „Anise and Anephew" begeistert mit gedünstetem Fenchel, Berkshire Guancilae und frischem Mozzarella, „The Hellboy" überzeugt alle davon, dass scharfer Honig auf eine Pizza gehört.

60 Greenpoint Avenue
Mo. – Fr. 6 p.m. – 11 p.m.
Sa. 5 p.m. – 11 p.m., So. 5 p.m. – 10 p.m.
pauliegee.com

People of 2morrow KAUFEN

In manchen Vintage-Shops muss man sich mühselig durch Berge von alten Lumpen kämpfen, um etwas Gutes zu finden. Anders im People of 2morrow: Fairtrade und handgefertigte Produkte stehen in diesem großzügig geschnittenen Laden an erster Stelle. Regional gefertigte Keramik-Artikel und Seifen treffen hier auf Handtaschen aus Thailand und Decken aus Guatemala. Im großen Secondhand-Bereich finden Männer und Frauen Seidenkleider, Jeans-Hosen und minimalistischen Schmuck. Ab und an organisiert das Geschäft so genannte „Triff-den-Hersteller"-Veranstaltungen. Hinweise hierzu gibt es auf der Webseite.

65 Franklin Street
Mo. – Sa. 11 a.m. – 8 p.m.
So. 11 a.m. – 7 p.m.
peopleof2morrow.com

Peter Pan Donut & Pastry Shop CAFÉ

Dieser Doughnutladen im Herzen Greenpoints sieht nicht nur aus wie aus den 50ern, er ist es auch – inklusive Personal in 50er Jahre Uniformen. Das Besondere: Hier gibt es zwar Doughnuts bekannter Geschmacksrichtungen, allerdings nach polnischer Art – dem Teig wird ein wenig Schnaps beigemengt. Prost! Und bei nur einem Dollar pro Doughnut kann man hier richtig zuschlagen.

727 Manhattan Avenue
Mo. – Fr. 4:30 a.m. – 8 p.m.
Sa. 5 a.m. – 8 p.m., So. 5:30 a.m. – 7 p.m.
peterpandonuts.com

↑ **People of 2morrow**
Stilvoll shoppen: Vintage und Fairtrade

↑ **WNYC Transmitter Park**
Kleiner Park am East River mit Blick auf Manhattan

Pop's Popular Clothing KAUFEN
Marken wie Carhartt und Dickies, die ursprünglich für Arbeiter entworfen wurden, sind dank simplem Schnitt und solider Verarbeitung cool und angesagt. Seit den 40er Jahren im Familienbetrieb, führt Pop's eines der größten Sortimente an Jumpsuits, Parkas und vielen Klassikern des Workwear-Genres. Inhaber Pop Rosenberg und sein Sohn Steve kennen ihr Sortiment und beraten gerne. Wer sich als Deutscher outet, erfährt garantiert, dass ein Teil der Familie auch daher stammt und wird mit einem herzlichen „Tschüss" verabschiedet.

7 Franklin Street
Mo. – Fr. 10 a.m. – 6 p.m.
Sa. 10 a.m. – 4 p.m.

↑ **Mrs. Kim's**
Koreanische Snacks und Gerichte

WNYC Transmitter Park SEHEN
Wo einst die Sendetürme des Radiosenders WNYC standen, befindet sich seit 2012 diese kleine Oase. Perfekt für ein kleines Schläfchen in der Mittagspause, einen Spaziergang mit dem Hund oder einfach für eine kurze Auszeit vom Trubel der Großstadt – den besten Blick auf Manhattans Skyline mit Chrysler und Empire State Building inklusive. Kleiner Tipp für Naschkatzen: Der Park liegt nur wenige Schritte vom → Ovenly entfernt. Also einfach eine der vielen Leckereien mitnehmen und im Park verzehren.

Greenpoint Avenue, direkt am Wasser.

WORD KAUFEN
Das Word ist mehr als nur eine Buchhandlung: Es ist bekannt für seine „Triff-den-Autor"-Veranstaltungen und Buch-Diskussionen. In diesem winzigen Buchladen geht es nicht nur um Bücher, sondern um ein gemeinschaftliches Gefühl der Leser und um literarischen Enthusiasmus. Von den Regalen hängen pietätlose, aber überzeugende Empfehlungsschilder, die den schrulligen Stil des Geschäfts treffend untermalen.

126 Franklin Street, Mo. – So. 10 a.m. – 9 p.m.
wordbookstores.com

ARCHITEKTOUR

Der Greenpoint Historic District erstreckt sich grob von der Calyer Street North bis zur Kent Street, zwischen Manhattan Avenue und Franklin Street, und wurde 1982 offiziell unter Denkmalschutz gestellt. Besonders imposante Eckgebäude erwarten einen, wenn man nördlich der Greenpoint Avenue die Franklin Street entlang schlendert. Durch die bezaubernden Ziegelhäuser fühlt man sich in die 1850er Jahre zurück versetzt – die Zeit, in der Greenpoint das Zentrum für Schiffbauer und Hersteller von Glas- und Eisenprodukten war.

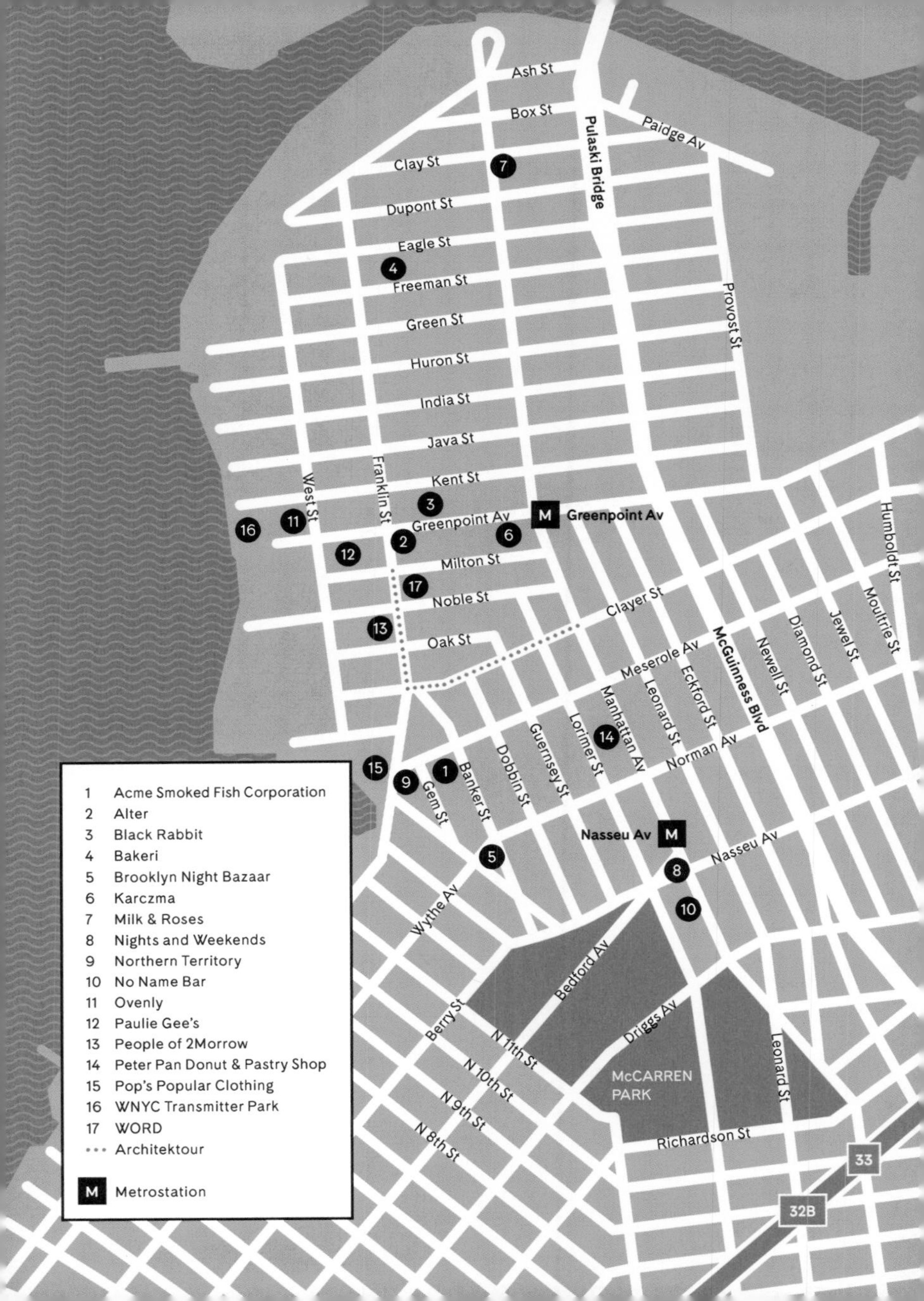

Ash St
Box St
Paidge Av
Pulaski Bridge
Clay St
Dupont St
Eagle St
Freeman St
Green St
Huron St
India St
Java St
Kent St
Provost St
West St
Franklin St
Greenpoint Av
Greenpoint Av
Milton St
Noble St
Oak St
Clayer St
Humboldt St
Moultrie St
Jewel St
Diamond St
Newell St
McGuinness Blvd
Eckford St
Leonard St
Manhattan Av
Lorimer St
Guernsey St
Dobbin St
Banker St
Gem St
Meserole Av
Norman Av
Nasseu Av
Nasseu Av
Wythe Av
Bedford Av
Berry St
Driggs Av
N 11th St
N 10th St
N 9th St
N 8th St
McCARREN PARK
Leonard St
Richardson St
33
32B
1 Acme Smoked Fish Corporation
2 Alter
3 Black Rabbit
4 Bakeri
5 Brooklyn Night Bazaar
6 Karczma
7 Milk & Roses
8 Nights and Weekends
9 Northern Territory
10 No Name Bar
11 Ovenly
12 Paulie Gee's
13 People of 2Morrow
14 Peter Pan Donut & Pastry Shop
15 Pop's Popular Clothing
16 WNYC Transmitter Park
17 WORD
Architektour
M Metrostation

usa

Paul ‚Paulie Gee' Giannone

PAULIE GEE'S

Eines steht fest: Paulie Gee muss man einfach lieben. Wie er in seiner Pizzeria in Greenpoint herumwitzelt, die Kunden herzlich begrüßt und jede Sekunde seines Jobs genießt. „Das ist der einfachste Job meines Lebens. Ich arbeite zwar härter als je zuvor, doch es fällt mir viel leichter, da ich mich endlich selbst gefunden habe." Und wer ihn jetzt schon liebt, der sollte warten, bis er erst die Pizza probiert hat...

Wie kamst du in die Gastronomie?

30 Jahre lang habe ich im IT-Bereich gearbeitet und Sachen gemacht, die ich nicht mag und für die ich auch kein Talent habe. Das Geld hatte mich in diese Richtung gezogen. Meine Unzufriedenheit drängte mich schlussendlich dazu, das zu machen, was ich aus tiefstem Herzen wollte und was mir wirklich Spaß macht. Ich liebte es schon immer, für Freunde und Familie zu kochen, und mir wurde oft gesagt, ich solle doch ein Restaurant eröffnen. Ich hatte das aber nie ernsthaft in Erwägung gezogen. Es schien mir zu kompliziert. Zu risikoreich. Vor 15 Jahren, nachdem ich Totonno's in Coney Island kennenlernte, wurde ich zum Pizza-Enthusiasten.

Wie ging es dann weiter?

Ich traf die Entscheidung, meine eigene Pizzeria zu eröffnen. Also baute ich mir im Garten einen Holzofen und fing an zu üben, experimentierte etwas mit verschiedenen Belägen. Als ich meine Pizzen für salonfähig hielt, lud ich Freunde und Kollegen zum Probeessen ein. Alle waren begeistert und es wurde Zeit für den nächsten Schritt: Ein Businessplan musste her. Erst wollte ich die Pizzeria in New Jersey, wo ich auch wohne, eröffnen, doch die aufregenden Veränderungen in Brooklyn brachten mich letztendlich nach Greenpoint.

Hattest du keine Sorge, dass es vielleicht schief geht?

Während meiner Zeit als IT-Berater las ich viel über Erfolgsprinzipien, die mir Selbstvertrauen brachten. Obwohl ich mir vor Angst fast in die Hose machte, erweckte ich „Paulie Gee's" zum Leben, indem ich mir selber und jedem um mich herum ständig einredete, dass ich's schaffen würde. Glauben und Hingabe sind zwei wesentliche Schlüssel zum Erfolg. Und Träumen. Ohne einen Traum können Träume nicht wahr werden. Und heute bekomme ich jeden Tag etwas, das viel besser ist als alles Geld der Welt: die Zufriedenheit und all das Lob meiner Kunden.

Gibt es in Brooklyn noch andere gute Pizzerien?

Meine ist natürlich die beste in ganz Brooklyn (lacht). Sollte es aber mal keinen Platz geben, dann bist du bei → Roberta's in Bushwick und bei → Lucali in Carroll Gardens ebenfalls sehr gut aufgehoben.

pauliegee.com

Williamsburg

Jung, hip, kreativ – Williamsburg gilt als Hipsterhochburg schlechthin. Hier zog es Künstler und Musiker her, als das Leben in Manhattan zu teuer wurde. Über Jahre entwickelte sich eine individuelle Kreativszene, die für ihre Vielfalt an Konzerten, Kunstmärkten und ausgefallener Gastronomie über die Stadtgrenzen hinaus bekannt ist. Das wachsende Freizeitangebot ließ die Mieten in den vergangenen Jahren stark steigen. Künstler zogen weiter und Besserverdienende kamen nach. Zwischen modernen Neubauten und kommerziellen Ladenketten ist ein Hauch von Bohème allerdings noch immer spürbar. Nur eine Subway-Haltestelle trennt Manhattan vom Herzen „Billyburgs", der Bedford Avenue. In den vielen individuellen Läden, Cafés und Restaurants mischen sich Touristen mit Ansässigen. Ein Spaziergang zur Williamsburg Waterfront gibt freie Sicht auf Manhattans Skyline und am Wochenende die Gelegenheit zum Stöbern auf Wochen- und Flohmärkten. Ein Abstecher südlich des Broadways eröffnet eine völlig andere, aber ebenso bezeichnende Seite des Viertels. Hier lebt eine der größten jüdisch-orthodoxen, chassidischen Gemeinden des Landes in ihrer – wie es scheint – ganz eigenen Welt.

M Subway-Linie L bis Haltestelle Bedford Avenue oder Lorimer Street. Linien J, M und Z bis Haltestelle Marcy Avenue. Linie G bis Haltestelle Metropolitan Avenue. Mit der Fähre: East River Ferry bis Schaefer Landing/South Williamsburg oder N. 6th Street/North Williamsburg.

BLUE BOTTLE
COFFEE

Artists & Fleas KAUFEN
Gute Markt-Alternative für Schlechtwettertage! Artists & Fleas ist ein Zusammenschluss von Künstlern, Designern und Sammlern aus Brooklyn und Umgebung. In der Halle mit gut 100 Ständen verkaufen die Macher ihren Schmuck, Kleidung und Kunst.

70 North 7th Street
Sa. & So. 10 a.m. – 7 p.m.
artistsandfleas.com

Banter BAR
Eine der wenigen Fußballkneipen in Brooklyn (ebenso wie → East River Bar und → Woodwork). Bundesliga, Premier League, La Liga – am Wochenende treffen sich hier europäische Fußballfans. Die Webseite zeigt vorab, welche Spiele live übertragen werden. Fehlt der eigene Verein im Programm, nicht verzagen – Sender können auf Nachfrage wechseln. Dazu ein Bitburger vom Fass, und fast ist alles wie zu Hause.

132 Havemeyer Street, Mo. & Di. 12 p.m. – 2 a.m.
Mi. – Fr. 12. p.m. – 4 a.m., Sa. wechselnd – 4 a.m.
So. wechselnd – 2 a.m., banterbrooklyn.com

Berry Park BAR
Dass Brooklyn sich nicht zu cool für Roof Top Bars ist, zeigt das Berry Park. Unten im Barbereich ist reichlich Platz für kleine und große Gruppen, einen Kicker und Tanz am Wochenende. Oben auf der Terrasse geht es schön entspannt zu – neben Drinks, Musik und einigen Snacks besticht die direkte Aussicht auf Manhattan. Durch Überdachung ist die Terrasse ganzjährig geöffnet.

4 Berry Street, Mo. – Do. 2 p.m. – 2 a.m.
Fr. 4 p.m. – 4 a.m., Sa. 11 a.m. – 4. a.m., So. 11 a.m. – 2 a.m.
berryparkbk.com

↑ **Blue Bottle Coffee**
Bekannter Coffee Shop aus San Francisco

Blue Bottle Coffee CAFÉ

Ein Muss für Kaffeeexperten und Experimentierfreudige! Die hier zubereitete kalte Kaffeevariante nach japanischer Brauart hat eine Durchlaufzeit von 24 Stunden. Klar, dass der Geschmack da irgendwie besonders ist. Für Skeptiker und Traditionsbewusste gibt es natürlich auch das übliche Kaffeeangebot.

160 Berry Street, Mo. – Do. 7 a.m. – 9 p.m.
Fr. – Sa. 7 a.m. – 8 p.m., bluebottlecoffee.com

WISSEN ZUM GLÄNZEN

Die markanten Wassertürme, zu sehen auf mehr als 10.000 Gebäuden in ganz NYC, sorgen bis heute für guten Wasserdruck in Häusern mit mehr als sechs Stockwerken. Das letzte Unternehmen in New York, das die Holztanks herstellt und wartet, ist Rosenwatch Tank Co., Inc. auf der Wythe Avenue. Der über 100 Jahre alte Betrieb ist immer noch in den Händen der Nachkommen des polnischen Immigranten Harris Rosenwatch, der das Geschäft 1896 für gerade einmal 55 Dollar erwarb.

Brooklyn Bowl BAR/ESSEN/MACHEN

„Eat. Drink. Rock. Roll" – das Motto verrät: Brooklyn Bowl ist Bowling-Center, Konzerthalle, Nachtclub und Restaurant zugleich. Hier ist immer etwas los. Während auf 16 Bahnen die Bowlingkugeln rollen, spielen auf der Bühne Live-Bands, oder ein DJ legt seine Platten auf. Für die gänzlich amerikanische Stimmung stehen Burger, Wings & Co. auf der Karte. Tipp: Sonntags ab 8 p.m. kostet Bowlen nur die Hälfte.

61 Wythe Avenue, ab 11 a.m., Ende offen.
www.brooklynbowl.com

Brooklyn Brewery BAR/SEHEN

Der „Tap Room", der Verkostungsraum der Brauerei, ist jeden Freitag und Samstag geöffnet. Dahinter verbirgt sich nicht die gewohnte Brauerei-Gemütlichkeit, sondern eine einfache Halle, in der Bier aus Plastikbechern verkauft wird. Ein Besuch lohnt sich zum Probieren der hauseigenen Klassiker und saisonalen Biere ebenso wie zum Leute gucken. Der Laden ist meist rappelvoll.

79 North 11 Street, Bierausschank: Fr. 6 p.m. – 11 p.m.
Sa. 12 p.m. – 8 p.m., So. 12 p.m. – 6 p.m. Führungen:
Mo. – Do. 5 p.m. ($12, Anmeldung erforderlich).
Kostenlose Führungen: Sa. 1 p.m. – 5 p.m. halbstdl. und
So. 1 p.m. – 4 p.m. halbstdl. (ohne Anmeldung).
brooklynbrewery.com

↑ Do it Yourself – im Brooklyn Charm
Biker-Treff in „Billyburg“ ↓

↑ **McCarren Park**
Der kleine Park trennt Williamsburg von Greenpoint

→ **Williamsburg Waterfront**
In der Abendsonne den Tag Revue passieren lassen

Brooklyn Charm KAUFEN
D.I.Y. – Do it Yourself! Im Brooklyn Charm stellen Kunden ihren Schmuck individuell zusammen. Bei der großen Auswahl an Perlen, Ketten und Anhängern findet jeder sein ganz persönliches Schmuckstück. Am Wochenende werden auch Kurse in Schmuckdesign angeboten.

145 Bedford Avenue, Mo. – So, 11 a.m. – 8 p.m.
brooklyncharmshop.com

Café La Esquina at Wythe Diner ESSEN
Ein amerikanischer Diner wie aus dem Bilderbuch: Die klassische silberne 50er Jahre Box mit den kunstlederbezogenen Sitzecken und Barhockern. Ein Besuch lohnt sich wegen der besonderen Diner-Stimmung und der guten mexikanischen Küche. Bei nettem Wetter sitzt es sich auch im angrenzende Biergarten hervorragend. Happy Hour: 12 p.m. – 7 p.m., dienstags durchgehend!

225 Wythe Avenue, Mo. & Di, 12 p.m. – 10 p.m.
Mi. & Do. 12 p.m. – 11 p.m., Fr. 12 p.m. – 12 a.m.
Sa. 11. a.m. – 12 p.m. So. 11. a.m. – 10 p.m.
esquinabk.com

↑ **Nitehawk Cinema**
Kombi aus Kino und Restaurant

East River Bar BAR
Gleich unter der Williamsburg Bridge versteckt sich diese zunächst unscheinbare Spelunke. Was überrascht: Die Bar ist die einzige und damit offizielle St. Pauli Kneipe der ganzen Stadt – unverkennbar an den braun-weißen-roten Fahnen und Fanschals an den Wänden. Logisch, dass die Spiele des Hamburger Fußballclubs live übertragen werden, sofern es die Öffnungszeiten zulassen. Ansonsten gibt es sie zeitversetzt.

97 South 6th Street, So. – Do. 5 p.m. – 2 a.m.
Sa. & So. 5 p.m. – 4 p.m., eastriverbar.com

East River State Park SEHEN
Die wohl beste Aussicht auf Manhattans East Side! Der Park, besser bekannt als „Williamsburg Waterfront", gleicht eher einer großen Wiese. Bei gutem Wetter bietet sich diese vor allem zum Picknicken oder Sonnen an. Zwischen Juni und September

gibt es abends regelmäßig Konzerte und Filmvorführungen, viele davon umsonst (freewilliamsburg.com). An Wochenenden finden von April bis November diverse Märkte mit Trödel, Kunst oder Essen statt.

90 Kent Avenue, Mai – September: 9 a.m. – 9 p.m.
Oktober – April: 9 a.m. – 7 p.m., nysparks.com

↑ **Diveria Dive**
Pizza, Pasta & Sandwiches im Diner-Flair

Fette Sau BBQ ESSEN

Hier gibt es amerikanisches BBQ vom Feinsten: Ob Ribs, Steak oder Schweinebauch – bei Fette Sau steht vor allem eins auf der Karte: Fleisch! Die Zubereitung auf dem Holzkohlegrill oder im „Smoker“ ist ehrlich und einfach, und das (Bio-) Fleisch kommt von Farmen aus der Umgebung. Mehr passend als störend: Gäste sitzen in einem Ambiente, das drinnen wie draußen an eine Garage erinnert.

354 Metropolitan Avenue
Mo. – Do. 5 p.m. – 11 p.m., Fr. – So. 11 a.m. – 11 p.m.
fettesaubbq.com

La Superior ESSEN

Die perfekte Nacht in Billyburg startet mit einem Abendessen im La Superior. Hier dreht sich alles um mexikanisches Street Food. Die kleinen Tapas-artigen Gerichte haben den Vorteil, dass viel probiert werden kann. Dabei auf keinen Fall auslassen: „Street Style Quesadillas“! Eiskaltes Tecate Bier aus der Dose oder eine klassische Margarita dürfen natürlich auch nicht fehlen.

295 Berry Street, So. – Do. 12 p.m. – 12 a.m.
Fr. & Sa. 12 p.m. – 2 a.m., lasuperiornyc.com

Nitehawk Cinema ESSEN/MACHEN

Das Nitehawk kombiniert Kino mit Dinner. Die Kinosäle haben Platz für kleine Tische und natürlich für die Kellner, die vor und auch während der Vorstellung Getränke und Essen servieren. Klingt unentspannt? Ist es dank guter Organisation und gut diskreter Bedienung aber nicht.

136 Metropolitan Avenue, Mo. – Do. 4 p.m. – 1 a.m.
Fr. 4 p.m. – 2 a.m., Sa. 11 a.m. – 2 a.m., So. 11 a.m. – 1 a.m.
nitehawkcinema.com

↑ **Toby's Estate Coffee**
Hipster Coffee Shop in „the Burg“

↑ **Brooklyn Brewery**
Das Bier aus Brooklyn ist längst weltweit bekannt

Pete's Candy Store BAR

Verwinkelt und schummrig ist diese charmante Bar fernab vom Treiben auf der Bedford Avenue. Gut besucht ist sie aber immer, denn ob Konzert, Poetry Slam oder Quiz-Abend – bei Pete ist immer Programm. Oft ist dies etwas ungewöhnlich, wie etwa der monatliche Buchstabier-Contest oder der „Quirky Talent"-Wettbewerb. Ein etablierter Klassiker ist der „Open Mic"-Abend, wenn sonntags von 5 bis 8 p.m. Hobby-Sänger spontan zum Mikrofon greifen dürfen. Der Eintritt ist frei.

709 Lorimer Street, Mo. – Mi. 5 p.m. – 2 a.m.
Do. 5 p.m. – 4 a.m., Fr. & Sa. 4 p.m. – 4 a.m.
So. 4 p.m. – 2 a.m., petescandystore.com

Parlor Coffee CAFÉ

Typisch Brooklyn: Diese kleine Kaffeebar versteckt sich im hinteren Teil eines Frisörsalons. Besitzer Dillon Edwards importiert und röstet seine Kaffeebohnen selbst. Sein Espresso wird unter Kennern hoch gelobt. Was hier 2012 klein angefangen hat, gehört heute zu Brooklyns bekanntesten Kaffeemarken mit eigener Rösterei und Verkostungsraum im Viertel Clinton Hill. Wer nicht gerade einen neuen Haarschnitt braucht, bekommt seinen Kaffee nur „to-go".

84 Havemeyer Street, Mo. – Fr. 12 p.m. – 6 p.m.
Sa. & So. 11 a.m. – 5.pm, parlorcoffee.com

Pies 'n' Thighs ESSEN

Hier dreht sich alles um „Soul Food" – Essen für die Seele. Neben Hähnchen-Gerichten (Thighs = Schenkel) und den vielen hausgemachten Kuchen (Pies = Kuchen) stehen Pulled Pork, Fried Catfish, Mac 'n' Cheese und Co. auf der Karte. Das zusammen gewürfelte Interieur ist zwar etwas chaotisch, dank detailgetreuem Südstaaten-Dekor ist der Laden trotzdem saugemütlich.

166 South 4th Street, 9 a.m. – 4 p.m und
5 p.m. – 12. a.m., piesnthighs.com

↑ **Williamsburg**
Street Art in Arbeit

↑ **Williamsburg Flea**
Vintage, Selbstgemachtes & leckeres Essen

Skinny Dennis BAR
Honky Tonk in Williamsburg! Hier gibt es Country-Music, süffiges Bier und vor allem gute Stimmung. Insbesondere mit der allabendlichen Live-Musik – wochentags ab 9 p.m. und samstags ab 10 p.m. – steigt der Partyfaktor. Beim Abkühlen hilft das Hausgetränk: „Uncle Willie's Frozen Coffee", eine eiskalte Kreation aus Kaffee, Wodka und Sahne.

152 Metropolitan Avenue, Mo. – So. 12 p.m. – 4 a.m.
skinnydennisbar.com

The Woods BAR
Hier geht's ab! Während der Barbetrieb am frühen Abend noch langsam warm läuft, tanzt spätestens um Mitternacht der ganze Laden – zu Disco, Funk, HipHop oder was der immer wechselnde DJ gerade auflegt. An den Bars gibt es günstig Drinks und im Hinterhof reichlich Platz für Raucher und einen Grill für Ausgehungerte. Eintritt frei bis 10 p.m.

48 South 4th Street, 4 p.m. – 4 a.m.
thewoodsbk.com

Union Pool BAR
Die Partys am Wochenende garantieren gute Stimmung. Ob drinnen auf der Tanzfläche oder draußen beim Trinken und Leute Beobachten – der Union Pool ist optimal für laue Sommernächte. Unter der Woche spielt Live Musik. An Montagabenden hat sich eine jahrelange Tradition eingespielt, wenn Reverend Vince Anderson ab 10:30 p.m. mit seinem „Dirty Gospel"-Jazz schon zu Wochenbeginn die Tanzfläche füllt – Eintritt frei!

484 Union Avenue, Mo. – Fr. 5 p.m. – 4 a.m.
Sa. 1 p.m. – 4 a.m., union-pool.com

Smorgasburg ESSEN
Jeden Samstag kommt hier das Who-is-Who der Gastro-Szene Brooklyns zusammen. An den knapp 100 Essensständen gibt es so ziemlich alles von Fisch-Tacos und Pizza über Eis am Stiel und Kaffeekunst bis hin zu ausgefallenen Kreationen wie japanischen Hotdogs oder Bacon-Doughnuts. Ort des Spektakels ist der → East River State Park.

East River State Park, 90 Kent Avenue
April – Oktober Sa. 11 a.m. – 6 p.m., smorgasburg.com

Williamsburg Flea KAUFEN
Vintage, Antikstücke, Selbstgemachtes, Kleidung und den klassischen Trödel gibt es hier jeden Sonntag von April bis Oktober. Hinzu kommt ein reichliches Angebot an Essen und Trinken sowie eine fantastische Aussicht auf Manhattan. Für die Wintermonate zieht der Markt an einen immer wechselnden, vor Wind und Wetter geschützten Ort. Infos dazu gibt es auf der Webseite.

50 Kent Avenue, So. 10 a.m. – 5 p.m., brooklynflea.com

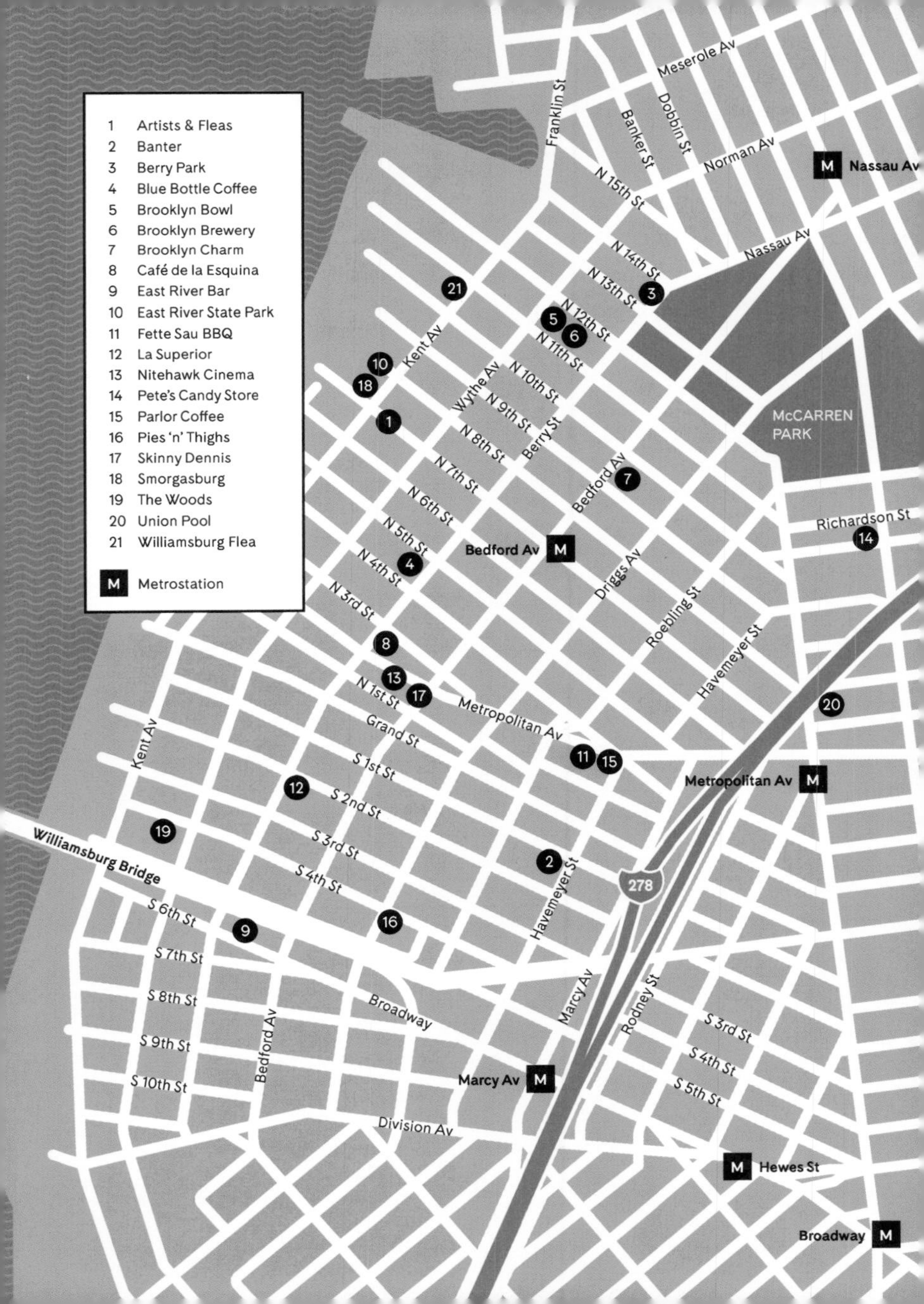
1 Artists & Fleas
2 Banter
3 Berry Park
4 Blue Bottle Coffee
5 Brooklyn Bowl
6 Brooklyn Brewery
7 Brooklyn Charm
8 Café de la Esquina
9 East River Bar
10 East River State Park
11 Fette Sau BBQ
12 La Superior
13 Nitehawk Cinema
14 Pete's Candy Store
15 Parlor Coffee
16 Pies 'n' Thighs
17 Skinny Dennis
18 Smorgasburg
19 The Woods
20 Union Pool
21 Williamsburg Flea
M Metrostation
Meserole Av
Franklin St
Banker St
Dobbin St
Norman Av
Nassau Av
N 15th St
N 14th St
N 13th St
N 12th St
N 11th St
N 10th St
N 9th St
N 8th St
N 7th St
N 6th St
N 5th St
N 4th St
N 3rd St
N 1st St
Kent Av
Wythe Av
Berry St
Bedford Av
McCARREN PARK
Richardson St
Bedford Av
Driggs Av
Roebling St
Havemeyer St
Metropolitan Av
Grand St
S 1st St
S 2nd St
S 3rd St
S 4th St
S 6th St
S 7th St
S 8th St
S 9th St
S 10th St
Williamsburg Bridge
Havemeyer St
278
Marcy Av
Rodney St
Broadway
Bedford Av
Marcy Av
Division Av
S 3rd St
S 4th St
S 5th St
Hewes St
Broadway

Platform 2
PLATFORM 5

Emmet Truxes

BROOKLYN CARTOONS

Emmet wuchs als Fan der Cartoons des Magazins „The New Yorker" auf. Inspiriert von den bekannten politischen und gesellschaftskritischen Zeichnungen, begann der Wahl-Brooklynite seine eigene Sicht der Dinge zu skizzieren – in ähnlichem Zeichenstil, aber mit neuer Perspektive. Er ersetzte Vorstandszimmer durch Kneipen und glatte Geschäftsmänner durch bärtige Hipster. Emmet zeichnet das moderne Leben in der Großstadt inmitten von Apps, Dating, Entscheidungsvielfalt und der ständigen Suche nach Verbesserung. Seine Cartoons fanden schnell große Resonanz. Nicht einmal ein Jahr nach der Gründung seines @BrooklynCartoons Instagram-Accounts hatte er bereits über 20.000 Follower. „Was den Inhalt, die Umgebung und die Charaktere angeht, so sprechen meine Cartoons gezielt unsere Generation an", erzählt der 32-Jährige, „und jede Generation hat gute Parodien verdient". Sein Account ist mittlerweile zum modernen Gegenstück der „The New Yorker"-Cartoons geworden. „Letztere verkörpern eher die ‚Upper East Side Brownstone-Häuser' als die ‚East Williamsburg-Lofts'", erklärt Emmet.

Manche der Zeichnungen sind Brooklyn-spezifisch. Doch die meisten halten einfach die Essenz der jungen Generation Brooklyns fest – wie er selbst sie lebt und erlebt. Emmet hat ein paar Lieblingsthemen. Eines ist die Handy-Sucht, die so viele im Griff hat. Auch ihn selbst. „Ich liebe Instagram und erwische mich oft selbst dabei, wie ich viel mehr Zeit mit meinem Handy verbringe, als ich eigentlich sollte."

Ein anderes Thema ist die ständige Suche nach Authentizität. Sie veranlasst die Männer zum Beispiel dazu, sich einen Holzfäller-Bart wachsen zu lassen. „Wenn eine bestimmte Gruppe von Leuten behauptet, ihr Leben sei authentischer als das von anderen, dann kann ich mich nur darüber lustig machen," sagt er. „Ich versuche ja nicht bösartig oder gemein zu sein. Ich sehe das eher als freundliche Neckereien."

Emmet arbeitet als Grafiker in der Architekturbranche, ist vor 1,5 Jahren von Williamsburg – wo er über zehn Jahre gelebt hat – an die Westküste gezogen, wo es ihn aber nicht mehr hält. „Meine Frau und ich suchen gerade nach einer Wohnung. Brooklyn fehlt uns zu sehr. Ich vermisse die vielfältige Architektur und die Gelassenheit des Lebens dort." Warum Brooklyn und nicht Manhattan? „Brooklyn ist einfach der interessantere Teil der Stadt. Es gibt – besonders unter Brooklynites – einen Stereotyp für Manhattan: spießig, konservativ, sicher. Natürlich trifft das nicht immer ganz so radikal zu, doch hier in Brooklyn gibt es einfach mehr Kreativität, Jugendlichkeit und Abenteuer, eine mitreißende Energie. Wer New York zum ersten Mal besucht und nicht wenigstens einmal den East River überquert, der verpasst wirklich etwas."

brooklyncartoons.com

Bushwick

Als „coolest place on planet“ und „7th hippest neighborhood in the world“ betiteln die New York Times und die Vogue den Stadtteil Bushwick. Bekannt ist er vor allem für seine Kreativszene. Neben zahlreichen Ateliers und Galerien sind die Straßen mit den vielen bunten Graffitis ein Meisterwerk für sich. Einst gehörte Bushwick zu den gefährlichsten Vierteln der Stadt. Ab den 60er Jahren wurde es überschattet von Drogen und Kriminalität. New Yorks legendärer Stromausfall 1977 zerstörte etliche Häuser und Geschäfte durch Brände und Plünderung. Es folgten Jahre des Verfalls und erhöhter Kriminalität. In den vergangenen zehn Jahren konnte Bushwick – unterstützt von der Stadt und cleveren Investoren – seinen Zustand und sein Image wieder aufbessern. Es wurde zum Anlaufpunkt für junge Kreative, die aus teuer werdenden Gegenden herkamen und in den alten Industriebauten Platz fanden. Dem neuen Flair folgten neuer Wohnraum und eine entsprechende Entwicklung der Umgebung. Das hippe Café und der Bio-Supermarkt reihen sich nun ein zwischen dem langjährigem Barber Shop, der chinesischen Nudelfabrik und der Bodega auf der Ecke. Durch holprige Straßen, brüchige Fassaden und die Graffitis wirkt Bushwick aber immer noch wild und chaotisch – passend zu seiner Kunstszene. Auch die bleibt und wächst weiter.

M Subway-Linie L bis Haltestelle Morgan Avenue oder Jefferson Avenue.

@MrNERDS

56 Bogart (The BogArt) SEHEN

Der einfachste Weg, mit nur einem Besuch verschiedene Kunstausstellungen zu sehen. Auf zwei Ebenen dieser umfunktionierten Lagerhalle befinden sich Ateliers und kleine Galerien, die Besuchern zu unregelmäßigen Zeiten offen stehen. Malerei, Fotografie oder Skulpturen – hier ist alle Kunst zeitgenössisch und zu hundert Prozent Bushwick. Am besten am Freitagabend oder Wochenende kommen, wenn die meisten Ausstellungen geöffnet sind! Der Eintritt ist frei.

56 Bogart Street, wechselnde Öffnungszeiten
56bogartstreet.com

AP Café CAFÉ

Minimalistisches Café inmitten der Street Art-Szene. Die großen Fenster bieten Ausblick auf Graffitis und das bunte Treiben auf der Straße. Zudem laden gute Frühstück- und Brunch-Optionen zum Bleiben ein. Während in der Woche viele Gäste das Café als Arbeitsplatz nutzen, herrscht am Wochenende im AP klares Laptop-Verbot.

420 Troutman Street, 8 a.m. – 7 p.m.
apcafenyc.com

→ **Fine & Raw chocolate**
Hier werden Schokoträume wahr

Bat Haus (Drink N' Draw) MACHEN

Wer schon immer mal Akt malen wollte, für den ist das Bat Haus – eigentlich ein Coworking Space – genau die richtige Adresse. Jeden Mittwochabend von 8 – 10:30 p.m. ist hier „Drink N' Draw" angesagt. Für einen Eintritt von gerade mal zehn Dollar steht für Könner und Laien nicht nur ein professionelles Aktmodell bereit, es gibt auch unbegrenzt Bier von der Brooklyn Brewery. Aber: Dieser fest etablierte Abend gleicht eher einer Kunststunde, nicht etwa einer Freibierparty.

279 Starr Street, Mi. 8 p.m. – 10:30 p.m.
bathaus.com

Bushwick kommt vom niederländischen Wort Boswijck = kleines Dorf im Wald. Es waren Holländer, die sich hier im 19. Jahrhundert ansiedelten und die Gegend vor allem landwirtschaftlich nutzten. Mit dem Einzug deutscher und irischer Einwanderer folgte der Aufbau eines Gewerbegebiets, das vor allem für seine Brauereien bekannt war. Heute stammt die Mehrheit der Bewohner aus Lateinamerika.

CHOCOLATE FACTORY

↑ **Graffiti & Street Art Tour**
Die fast tägliche Tour zeigt Bushwicks bunte Seite

← **AP Café**
Coffee Shop mit Blick auf Street Art

Inca Chicken ESSEN
Einfach, ehrlich, günstig. Von der Fassade dieser Hähnchenbraterei sollte man sich keineswegs abschrecken lassen. Denn drinnen wartet deftige peruanische Hausmannskost – wie von Mamacita selbst zubereitet. Die Spezialität des kleinen Hauses ist das halbe Hähnchen, das zusammen mit zwei Beilagen und, falls gewünscht, scharfen Soßen das perfekte, schnelle Mittagessen macht.

122 Wyckoff Avenue, 11.30 a.m. – 9 p.m.

Better Than Jam KAUFEN
Hier gibt es Handgemachtes! Das Lädchen bietet ausgefallene Accessoires von Kleidung und Schmuck über Haushaltswaren bis hin zu Kosmetik. Alle Artikel sind „made in NYC". Den angrenzenden Werkraum können Bastler mieten, um die eigenen Produkte und Projekte umzusetzen. Perfekt für Mitbringsel und Souvenirs!

20 Grattan Street, Mo. 12 p.m. – 6 p.m.
Mi. – Sa. 12 p.m. – 8 p.m., So. 12 p.m. – 7.p.m.
betterthanjamnyc.com

Graffiti & Street Art Tour MACHEN/SEHEN
Dass Bushwicks Street Art mehr zu bieten hat als Graffitis, zeigt eine geführte Tour von Free Tours By Foot. Ein kurzweiliger zweistündiger Spaziergang führt zu den besten und versteckten (!) Straßenkunstwerken. Die beiden Kenner und Künstler Izzy & Mar erzählen Geschichten zu den einzelnen Motiven und deren Machern und erklären Unterschiede von Stencils, Stickern, Tags und Co.

Start/Treffpunkt: 288 Seigel Street, Do. – So. 2 p.m.
Teilnahme nur mit Voranmeldung.
Preis: frei, bzw. nach eigenem Ermessen.
freetoursbyfoot.com

Lot45 BAR
„Cocktailbar & Wohnzimmer" lautet die Selbstbeschreibung dieser lounge-ähnlichen Bar. Tatsächlich fühlt sich das Lot45 wie ein Besuch bei guten Freunden an. Drinnen warten gemütliche Sofas, draußen

gibt es reichlich Plätze im Innenhof. Am Wochenende hält der DJ die Gäste auf der Tanzfläche. Happy Hour: 5 p.m. – 9 p.m.

411 Troutman Street, Di. – Do. 5 p.m. – 2 a.m.
Fr. & Sa. 5 p.m. – 4 a.m., So. 12 p.m. – 9 p.m.
lot45bushwick.com

Luhring Augustine SEHEN

Die vielen Ateliers und Galerien verteilen sich über ganz Bushwick und wechseln nicht selten Inhaber und Standort. Die Galerie Luhring Augustine hingegen ist eine beständige Einrichtung. Ein Besuch lohnt sich nicht nur wegen der immer unterschiedlichen Ausstellungen, sondern auch wegen der architektonisch eindrucks-vollen Räume.

25 Knickerbocker Avenue, Do. – So. 11 a.m. – 6 p.m.
luhringaugustine.com

Miles BAR

Stilvolle Bar, die vor allem durch ihre Cocktail-Karte überzeugt. Die hauseigenen Varianten bekannter Drinks (z.B. Oolong Island Ice Tea) wechseln laufend. Genauso kreativ ist die Auswahl an „Grilled Cheese". Kombiniert mit scharfer Salami, Rucola-Walnusspesto oder gerösteten Zwiebeln schmeckt der amerikanische Sandwich-Klassiker gleich noch besser. Happy Hour: 6 p.m. – 8 p.m.

101 Wilson Avenue, 6 p.m. – 2 a.m.
milesonwilson.com

Montana's Trail House ESSEN

Gemütliches Hütten-Flair und Essen für die Seele – dieses Restaurant tut einfach gut. Ob Brunch am Wochenende, Dinner oder Mitternachtshappen, die Speisekarte verspricht amerikanische Spezialitäten aus

↑ **Pearl's Social and Billy Club**
Perfekt für den Drink zwischendurch oder zum Versacken

↑ **Montana's Trail House**
Amerikanische Küche im urigem Flair

UFO
F-450
SUPER DUTY

ländlichen Regionen wie Montana: „Sweet & Spicy Pig Tails", „Fried Green Tomatoes" oder „Salmon Pastrami". Beim Brunch führt kein Weg am French Toast vorbei. Der Besuch lohnt sich schon wegen der ausgefallenen Cocktails und der beliebten Plätze an der Bar.

445 Troutman Street
Mo. – Fr. 3 p.m. – 4 a.m.
Sa. 11 a.m. – 4. a.m., So. 11 a.m. – 12 a.m.
montanastrailhouse.com

Pearl's Social & Billy Club BAR

Holztheke, Kerzenlicht und Krimskrams ohne Konzept – das Schönste an dieser Bar ist ihre Schlichtheit. Cocktails kommen in Einmachgläsern, das Bier in Dosen. Wer ohne Programm und Tamtam in Gesellschaft von Einheimischen ausgehen möchte, ist hier genau richtig. Getränke-Inspiration: „Whiskey Ginger", kommt gemixt mit frischem Ingwer. Happy Hour: 2 p.m. – 8 p.m.

40 St. Nicholas Avenue
Mo. – Sa. 2 p.m. – 4 a.m. So. 12 p.m. – 4 a.m.
pearlssocial.com

Pine-Box-Rock-Shop BAR

Wo früher Särge hergestellt wurden (Pine Box), könnte es heute lebhafter kaum zugehen: In dieser Bar ist jeden Abend Programm – Quiz, Karaoke oder Comedy. Neben der umfangreichen Craft Bier Auswahl lohnt sich auch ein Blick in die vegane Cocktail-Karte. Jeden zweiten Samstag im Monat gibt es beim „Vegan Shop-up" wechselndes Essen, Biere und Besonderheiten für den veganen Lebensstil.

12 Grattan Street, Mo. – Fr. 4 p.m. – 4 a.m.
Sa. 2. p.m. – 4 a.m., So. 12 p.m. – 2 a.m.
pineboxrockshop.com

Roberta's ESSEN

Aus Bushwick nicht mehr wegzudenken! Seit 2008 existiert die bekannte Steinofen-Pizzeria, die in einer ehemaligen Garage zu Hause ist. Die Variationen reichen von klassisch bis ausgefallen, die Zutaten werden superlokal bezogen, teilweise vom hauseigenen Garten auf dem Dach. Dank reichlich positiver Presse und gelegentlich prominentem Besuch, wie von Bill und Hillary Clinton, ist es bei Roberta's immer voll. Wer Wartezeiten vermeiden möchte, kommt zum Mittagessen oder zum Brunch am Wochenende.

261 Moore Street, Mo. – So. 11 a.m. – 12 a.m.
Sa. & So. auch Brunch 11 a.m. – 4 p.m.
robertaspizza.com

↑ **Record**
Für Platten-Sammler und Vinyl-Liebhaber

Shops at the Loom KAUFEN

Mini-Mall in Bushwick: Die alte Textilfabrik beherbergt heute knapp 20 individuelle Geschäfte. Neben Büchern, Schmuck und Skateboards gibt es ein Tattoo-Studio, ein Yoga-Center und hauseigene Cafés. Im Sommer lädt der bepflanzte Innenhof zu einer Shopping-Pause ein.

1087 Flushing Avenue
Mo. – Do. 8 a.m. – 9 p.m., Fr. – So. 8 a.m. – 8 p.m.
shopsattheloom.com

The Cobra Club BAR/CAFÉ
Insider-Tipp von morgens früh bis tief in die Nacht! Abends ist der Cobra Club eine stimmungsvolle Cocktailbar mit Live-Musik, Comedy oder Tanz und tagsüber ein gemütliches Cafe mit den vielleicht besten Doughnuts Brooklyns aus dem Backshop → Dough und Yoga-Kursen im Hinterraum.

6 Wyckoff Avenue
Mo. – Fr. ab 7 a.m., Sa. & So. open ab 8 a.m.
cobraclubbk.com

↑ **bun-ker**
Vietnamesische Küche – einfach, ehrlich, köstlich

The Sampler KAUFEN
Wie der Name verrät, dreht sich hier alles ums Probieren – und zwar von Bier und Schnaps. Zur Auswahl stehen wechselnde, regional gebraute Craft Biere vom Fass sowie etliche Flaschenbiere aus aller Welt. Die hochprozentigen Alternativen sind ausgesuchte Whiskeys, Bourbons und Ryes unbekannter Brennereien. Dass Gäste dabei wie im Getränkelager sitzen, stört im insgesamt gemütlichen und hellen Ambiente überhaupt nicht. Alle Getränke gibt es auch zum Mitnehmen.

234 Starr Street, Mo. – Mi. 4 p.m. – 11 p.m.
Do. 4 p.m. – 12 a.m., Fr. – Sa. 1 p.m. – 2 a.m.
So. 1 p.m. – 11 p.m., thesamplerbk.com

The Three Diamond Door BAR
Die lederbezogenen Barhocker und Sitzecken, der rot-weiß gekachelte Boden und die Vintage-Jukebox erinnern deutlich an die 50er Jahre. Mit wechselnden Craft Bieren und Prosecco vom Fass ist die Getränkeauswahl hingegen topaktuell. Sollte an der langen Bar kein Platz sein, bietet der Hinterhof reichlich gemütliche Sitzgelegenheiten. Happy Hour Montag – Freitag: 2 p.m. – 8 p.m.

211 Knickerbocker Avenue
Mo. – Fr. 2 p.m. – 4 p.m., Sa. & So. 12 p.m. – 4 a.m.
facebook.com/thethreediamonddoor

Tortilleria Los Hermanos ESSEN
Authentischer geht es kaum! Der in die Einfahrt einer Tortilla-Bäckerei integrierte Imbiss bietet ehrliche mexikanische Küche. Tacos und Co. sind super gut und günstig (unbedingt probieren: Chorizo Sausage Taco!). Das Konzept „bring your own bottle“ (BYOB) lädt ein, eigene alkoholische Getränke mitzubringen, zum Beispiel vom Deli auf der Ecke.

271 Starr Street, 12 p.m. – 10 p.m.

↑ **Tortilleria Los Hermanos**
Authentischer Tacos-Imbiss

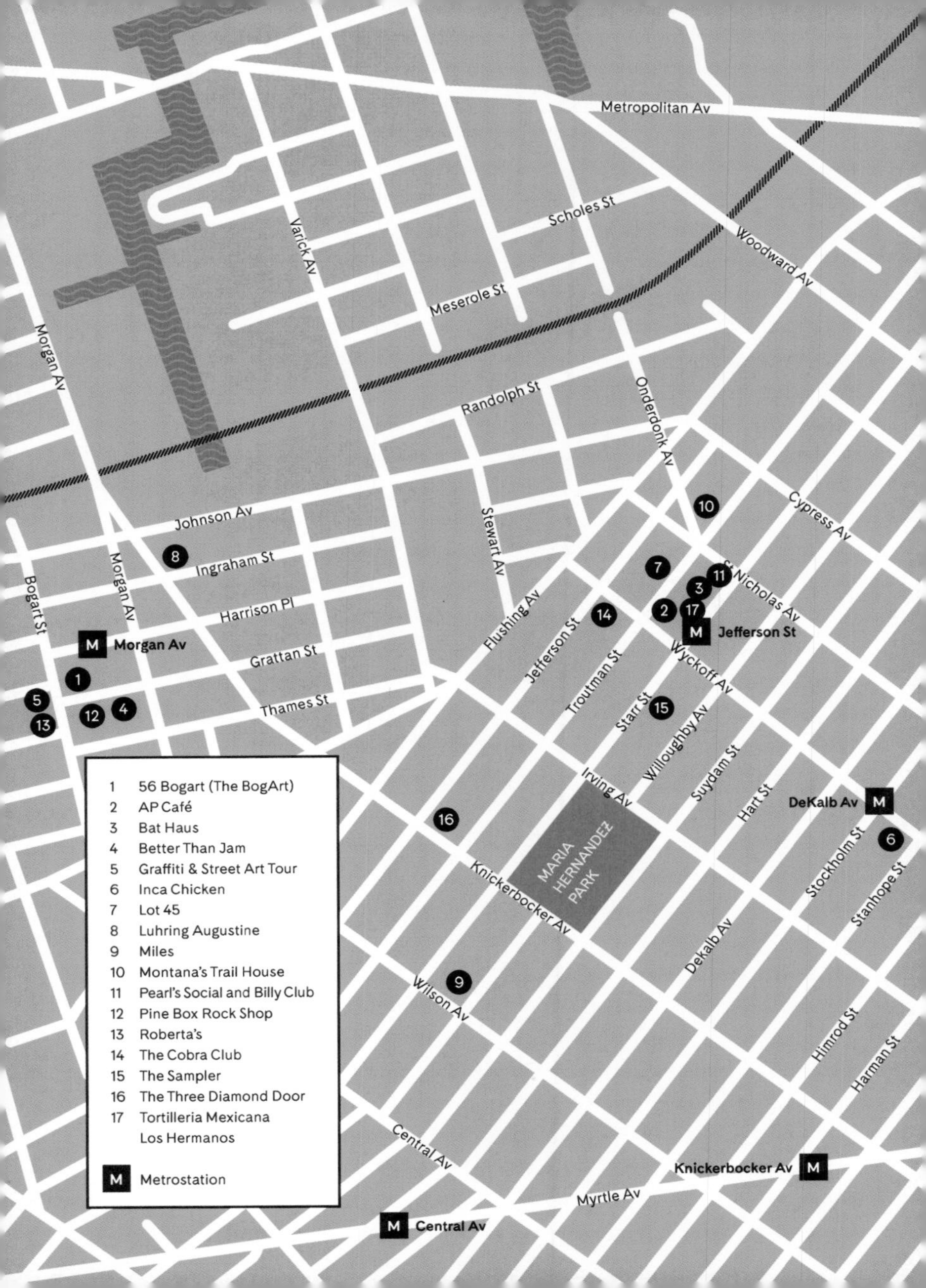

Metropolitan Av
Scholes St
Woodward Av
Varick Av
Meserole St
Morgan Av
Randolph St
Onderdonk Av
Johnson Av
Stewart Av
Cypress Av
Ingraham St
Bogart St
Morgan Av
St Nicholas Av
Harrison Pl
Flushing Av
Jefferson St
Morgan Av
Jefferson St
Grattan St
Troutman St
Wyckoff Av
Thames St
Starr St
Willoughby Av
Suydam St
Irving Av
Hart St
DeKalb Av
Stockholm St
MARIA HERNANDEZ PARK
Knickerbocker Av
Stanhope St
Dekalb Av
Wilson Av
Himrod St
Harman St
Central Av
Knickerbocker Av
Myrtle Av
Central Av
1 56 Bogart (The BogArt)
2 AP Café
3 Bat Haus
4 Better Than Jam
5 Graffiti & Street Art Tour
6 Inca Chicken
7 Lot 45
8 Luhring Augustine
9 Miles
10 Montana's Trail House
11 Pearl's Social and Billy Club
12 Pine Box Rock Shop
13 Roberta's
14 The Cobra Club
15 The Sampler
16 The Three Diamond Door
17 Tortilleria Mexicana Los Hermanos
M Metrostation

Lily Ahn & Tom Chung

AIRBNB-GASTGEBER

Die Wohnungen in Brooklyn sind so unterschiedlich wie die Menschen, die hier wohnen. Dank Airbnb kann man einen Blick hineinwerfen und dabei echte Locals kennenlernen. So wie Fotografin und Künstlerin Lily Ahn und ihren Freund Tom Chung, von Beruf Musikproduzent und DJ. Anfang 2012 zog es sie von Chicago nach New York, um dort ihre künstlerischen Vorhaben zu verwirklichen. Da schien Brooklyn, als Mittelpunkt der Szene, einfach passend.

Der Umbau ihres Apartments war bisher eines ihrer größten gemeinsamen Projekte. Als sie das Loft zum ersten Mal sahen, war es roh und karg. Mit der Hilfe eines befreundeten Bühnenbildners bauten sie kurzerhand ein Baumhaus aus wiederverwendetem Holz in das Apartment, das jetzt als ihr Schlafzimmer dient. „Wir lieben den Look von gebrauchtem Holz und die Tatsache, dass jedes Stück seine eigene Geschichte hat", erklärt Lily. „Die Umwandlung des Lofts in unsere eigene kleine Oase ist ein Projekt, in das viel Liebe mit einfloss und das ständig weitergeht. Es mag nicht ganz perfekt sein, aber es ist unser Baby." Tom ergänzt: „Wenn Gäste uns erzählen, dass sie sich für unser Apartment entschieden haben, weil sie es am schönsten fanden, freut uns das ganz besonders. Wir möchten ihnen inmitten dieser großen, lebhaften Stadt ein heimisches Gefühl geben." Von Anfang an teilten Lily und Tom ihr Zuhause mit Gästen aus der ganzen Welt.

Auch die beiden reisen für ihr Leben gern. Am liebsten im Freien mit Wandern und Zelten, und wie jeder echte Ami lieben sie Roadtrips. Wenn sie nicht gerade unterwegs sind, erkunden sie auch gerne ihre Wahlheimat. „Die Vielfältigkeit gefällt uns sehr. Innerhalb weniger Blocks finden sich so viele verschiedene Kulturen. Das ist es, was New York so einzigartig macht. Manhattan ist großartig, doch vieles von dem, was es so attraktiv gemacht hat, hat sich im Laufe der letzten Jahre nach Brooklyn verschoben", so Lily. „Was Brooklyn so aufregend macht, ist die Energie und die ständige Weiterentwicklung. Menschen, die gerne Teil haben an der Gestaltung ihrer Umgebung, sind hier genau richtig. Manhattan hingegen ist schon ‚fertig' und die Menschen dort bevorzugen es, das fertige Produkt zu erleben."

Ihr bestes Airbnb-Erlebnis? „Mir fallen spontan so viele tolle Gäste und besondere Momente ein, zum Beispiel, als wir gelernt haben, wie man die perfekten Spaghetti Carbonara kocht – von einem Italiener, der Milchwissenschaftler ist und immer ein Stück Grana Padano Käse dabei hat. Es gibt wirklich keinen Vergleich für die Erfahrungen, die wir auf diese Art sammeln. Durch Airbnb sind schon großartige Freundschaften entstanden und wir hoffen, unsere Freunde alle einmal in ihrer Heimat besuchen zu können. Das wäre schön."

airbnb.de/rooms/2044873

Fort Greene & Clinton Hill

Die Geschichte dieser zwei Viertel könnte unterschiedlicher nicht sein. Nach Fort Greene zogen nach Abschaffung der Sklaverei in New York im Jahr 1827 vermehrt Schwarze, die Arbeit in der anliegenden Werft fanden. Kurz darauf öffnete hier die Coloured School No.1, die erste Schule für afroamerikanische Kinder, denen der Besuch der damaligen Schulen verwehrt war. Überführt in eine reguläre Public School, ist sie heute ein Zeichen für Integration und Gleichstellung. Bewohner verschiedener Herkunft schaffen ein buntes Bild auf Fort Greenes Straßen, am besten zu erleben auf Lafayette, Fulton und DeKalb Avenue. Clinton Hill gleicht mit seinen Universitäten, jungen Bewohnern und vielen Cafés eher einer Studentenstadt. Bildung und Wohlstand zeichneten sich hier schon ab, als Unternehmer im 19. Jahrhundert prunkvolle Residenzen bauten. Heute werden die erhabenen Häuser hauptsächlich von öffentlichen Einrichtungen genutzt. Eine Wohngegend ist Clinton Hill nach wie vor, aber eine angenehm bescheidene, die nicht mehr von Prunk und Protz, sondern von Kunstgeist und Understatement gezeichnet ist.

M Subway-Linien B, D, Q, N und R bis DeKalb Avenue. Linien 2, 3, 4, 5, B, D, Q, N und R bis Atlantic Avenue-Barclays Center. Linien A und C bis Clinton-Washington Avenue oder Lafayette Avenue. Linie G bis Fulton Street oder Classon Avenue.

the RUNNER
MEMORIAL DAY AT the Runner
BBQ

PRIM
ROSE

Alice's Arbor ESSEN
In dem gemütlich rustikalen Ambiente dreht sich alles um die moderne amerikanische Küche. Fleisch, Fisch und Frisches kommen von ausgesuchten Farmen aus der Region und stehen an der integrierten Ladentheke auch zum Verkauf bereit. Ob Brunch (besonders gut!) oder Dinner – die wechselnde Auswahl an Bieren, Weinen und Cocktails überredet immer zu einem Getränk.

549 Classon Avenue, Mo. – Do. 9 a.m. – 11 p.m.
Fr. 9 a.m. – 12 a.m., Sa. 10 a.m. – 12. a.m.
So. 10 a.m. – 11 p.m., alicesarbor.com

BAM (Brooklyn Academy of Music) MACHEN
Das Theater besteht aus drei Hauptgebäuden in der Nähe des Atlantic Terminals mitten in Fort Greene. Seit über 150 Jahren finden sich hier probierfreudige Künstler und Ideen, die Abend für Abend Besucher von nah und fern anlocken. Mit einem weltberühmten Programm im Bereich Theater, Tanz, Musik, Oper und Film ist BAM eine Bühne für aufstrebende Künstler und innovative, moderne Meister.

30 Lafayette Avenue, Mo. – Sa. 12 p.m. – 6 p.m.
bam.org

↓ **Fort Greene Park**
Im Herzen der Neighborhood

Warum die Neighborhood den Namen Fort Greene trägt, erklärt ihr gleichnamiger Park. Während des Amerikanischen Unabhängigkeitskrieges stand an genau dieser Stelle eine Festung der amerikanischen Miliz im Kampf gegen die Briten. Nach Kriegsende wurde dieses Fort nach Generalmajor Nathaniel Greene benannt, der unter der Führung George Washingtons entscheidend zur Unabhängigkeitserklärung des Landes im Jahr 1776 und zur Beendigung des Krieges 1783 beigetragen hatte. Erst im Jahr 1848 wurde das Gelände zum öffentlichen Park umfunktioniert – der damals erste und einzige in Brooklyn.

Bitter Sweet CAFÉ
Hier gibt es Fairtrade-Produkte, Bio- und traditionelle Kaffeesorten von La Combe. Aber auch Sandwiches und Gebäck, das täglich frisch zubereitet wird, gehören zur Spezialität dieses kleinen Cafés. Die Besitzer haben einen äußerst guten Geschmack, es gibt nämlich Doughnuts von → Dough. Ein essenzieller Teil des „Bitter Sweet"-Erlebnisses sind auch die aparten Baristas, die jedem Drink ihre ganz eigene Note verleihen.

180 DeKalb Avenue, Mo. – Fr. 7 a.m. – 5 p.m.
Sa. & So. 7:30 a.m. – 7 p.m., bittersweetbk.com

↑ **Black Forest Brooklyn**
Ein Hauch Schwarzwald in Brooklyn

Black Forest Brooklyn ESSEN
Ayana und Tobias Holler sind beide im Schwarzwald aufgewachsen. Ihre Wege kreuzten sich allerdings erst Jahre später, als beide schon in Brooklyn wohnten. Als Hommage an ihre Liebe und ihre Wurzeln eröffneten die beiden das Black Forest Brooklyn. Der authentische Indoor-Biergarten bietet typisch deutsche Spezialitäten und insgesamt 14 Biere vom Fass an.

733 Fulton Street, So. – Mi. 10 a.m. – 1 a.m.
Do. – Sa. 10 a.m. – 2 a.m., blackforestbrooklyn.com

BRIC Arts Media House SEHEN
Das BRIC fördert und präsentiert zeitgenössische, darstellende Kunst ebenso wie unterschiedlichste mediale Projekte, die Brooklyns Kreativität und Vielfältigkeit widerspiegeln. Es dient nicht nur als Bühne, sondern vor allem als Kunstinkubator zur Förderung des kreativen Nachwuchses. Neben zwei Theatersälen, einer Galerie und einem öffentlichen Medienzentrum beherbergt der Komplex daher auch ein TV Studio und diverse Proberäume für die Künstler.

647 Fulton Street, Galerie: Di. – Sa. 10 a.m. – 8 p.m.
So. 10 a.m. – 6 p.m., bricartsmedia.org

Clementine Bakery CAFÉ
Hier sind alle Leckereien vegan, glutenfrei und bio. Das wird aber nicht in den Vordergrund gestellt. Viel wichtiger ist der Genuss. Besitzerin Michelle backt von klein auf und hat sich mit dem Café ihren großen Traum erfüllt. Ihr Motto: „Wir lieben Essen und wir lieben es, zu essen." Das „wir" schließt ihre Mutter und Großmutter ein, nach deren Rezepten Michelle und ihre Mitarbeiter backen.

299 Greene Avenue, Mo. – Fr. 8 a.m. – 9 p.m.
Sa. 9 a.m. – 9 p.m., So. 9 a.m. – 6 p.m.
clementinebakery.com

El Toro Taqueria ESSEN

Wer es gerne „low budget“ mag, der ist bei El Toro genau richtig aufgehoben. Hier gibt es super leckere und vor allem sehr günstige Tacos und Nachos. Kleiner Tipp: Nicht unbedingt unter der Woche nachmittags kommen, denn dann wird es voll. Die Kids aus der benachbarten Schule haben den kleinen Mexikaner längst für sich entdeckt.

89 Fort Greene Place, So. – Do. 12 p.m. – 10 p.m.
Fr. & Sa. 12 p.m. – 11 p.m.

Fort Greene Flea KAUFEN

Gern von gestern: Von April bis Oktober wird es samstags etwas voller in Fort Greene, denn von 10 a.m. bis 5 p.m. ist auf einem Schulparkplatz Zeit für den Brooklyn Flea, einen Flohmarkt mit genau der richtigen Mischung aus gewöhnlichen und besonderen Dingen. Hier findet das Feilscher-Herz alles, was es braucht: Fahrräder, Bücher, Möbel und Vintage-Klamotten. Viele kleine Essensstände sorgen dafür, dass keiner hungrig nach Hause gehen muss.

176 Lafayette Avenue, Sa. 10 a.m. – 5 p.m.
brooklynflea.com

Fort Greene Park SEHEN

Entworfen von den Landschaftsarchitekten der Central und Prospect Parks, ist auch diese Grünanlage eine wahre Bereicherung für die Gegend. Zwischen Wiesen und Hügeln liegen Sport- und Spielplätze, der höchste Punkt gibt Ausblick auf Brooklyn und Downtown Manhattan, und die vereinzelten gigantischen Bäume begeistern sicherlich nicht nur Naturfans. Die Hauptwiese wird ab und zu zum Musik- und Kultur-Festival. Daran, dass der Park einst Kriegsschauplatz war, erinnert heute das „Prison Ship Martyrs' Monument“ in der Parkmitte. Die 45 Meter hohe Säule gedenkt der mehr als 11.500 Amerikaner, die im Kampf um ihre Unabhängigkeit in britischer Gefangenschaft – festgehalten auf britischen Schiffen im Hafen von New York – um ihr Leben kamen. Ihre Gebeine sind angeblich unter dem Mahnmal begraben.

DeKalb and Myrtle Avenues, zwischen Washington Park und St. Edward's Street.

↑ **El Toro Taqueria**
Mexikanische Snacks – gut und günstig

↑ **Clementine Bakery**
Das kleine Café setzt auf vegan, glutenfrei und bio

↑ **Fort Greene Flea**
Brooklyns größter Flohmarkt

Greenlight Bookstore KAUFEN

Der Laden entstand aus einer 2008 durchgeführten Umfrage der Fort Greene Association, die zeigte, dass die Anwohner einen Buchladen vermissten. Die Fort Greener bekamen mehr als nur das. Denn der Greenlight Bookstore ist nicht nur eine Buchhandlung, sondern auch geselliger Treffpunkt für Leser und Schreiber. Regelmäßig finden Buchvorstellungen und -besprechungen statt, oft von ansässigen Autoren. Das Angebot reicht weit über Bestseller hinaus und umfasst eine große Auswahl an Büchern über New York und Brooklyn.

686 Fulton Street, Mo. – So. 10 a.m. – 10 p.m.
greenlightbookstore.com

Habana Outpost BAR/ESSEN

Ob Sonne oder Regen – in dem bunten Biergarten kommt garantiert Sommerstimmung auf. Aus den Boxen dröhnen karibische Klänge, Margarita, Mojito und Piña Colada gibt es in der „Frozen"-Variante, und auf die Teller kommen mexikanisch-kubanische Köstlichkeiten wie gegrillte Maiskolben, Catfish Burrito oder ein einfaches Cuban Sandwich. Im Sommer steht jeden Sonntag um 8 p.m. Filmabend auf dem Programm. Der im Web angekündigte Klassiker wird dabei einfach an die Außenwand projiziert.

757 Fulton Street, Mo. – Do. 12 p.m. – 12 a.m.
Fr. – So. 11 a.m. – 12 a.m., habanaoutpost.com

Hot Bird BAR

Dass diese Bierhalle früher eine Autowerkstatt war, ist unverkennbar. Das Hot Bird besticht vor allem durch seinen großen Innenhof mit den vielen Picknicktischen

(gut für Gruppen!). Bei zwölf Bieren vom Fass und Kleinigkeiten vom Grill lässt sich hier – trotz des Autohof-Flairs – eine laue Sommernacht wunderbar aushalten. Täglich Happy Hour bis 8 p.m.

546 Clinton Avenue, Mo. – Do. ab 5 p.m.
Fr. – So. ab 4 p.m. Ende offen.

Outpost Lounge CAFÉ

Charmanter Coffee Shop mit zusammen gewürfeltem Inventar und einer Auswahl an feinen Snacks wie Sandwiches, Suppen und Kuchen. Wenn am Abend die Gäste ihre Notebooks einpacken, verwandelt sich das Outpost in eine gemütliche Bar mit abwechselndem Programm mit DJ oder Live-Musik und Lagerfeuer im hauseigenen Garten.

1014 Fulton Street, Mo. – Fr. 7:30 a.m. – 12 a.m.
Sa. & So. 9 a.m. – 11 p.m.
outpostlounge.com

Madiba ESSEN

Das Madiba war das erste südafrikanische Restaurant in den Vereinigten Staaten. Seit 1999 bringt es Hausmannskost aus Südafrikas Küchen und Straßen auf Brooklyns Teller. Exotischer Küchenduft, wildes Dekor und afrikanische Musik sorgen für ein besonderes, gastronomisches Erlebnis. Die

Spezialität des Hauses ist das „Durban Style Curry“, das wahlweise mit Reis, Weizenfladen oder im Brotteller serviert wird. Der bei Landsleuten beliebte Kurze „Springbok“ – Amarula mit Minzlikör – ist der perfekte Abschluss eines typisch südafrikanischen Essens.

195 DeKalb Avenue, So. – Do. 11 a.m. – 11 p.m.
Fr. & Sa. 11 a.m. – 12 a.m. madibarestaurant.com

↑ **Madiba**
Südafrikanische Küche und Stimmung

Olea ESSEN

Die Frage, ob Brooklyn am Mittelmeer liegt, könnte beim Essen im Olea aufkommen. Mit viel Terrakotta, Mosaiksteinen und Palmpflanzen weht hier ein wahrlich mediterraner Wind. Die Küchen Griechenlands, Spaniens und Italiens standen Pate für die vielfältige Speisekarte. Ganz im europäischen Stil dürfen Gäste ihren Abend auch nach dem Essen in Ruhe ausklingen lassen. Da lohnt ein weiterer Blick in die umfangreiche Weinkarte oder in die ausgefallene Cocktailliste. Happy Hour Montag bis Donnerstag: 4 p.m. – 7 p.m.

171 Lafayette Avenue, So. – Do. 10 a.m. – 11 p.m.
Fr. & Sa. 10 a.m. – 12 a.m., oleabrooklyn.com

Peck's ESSEN/KAUFEN

Peck's ist ein Spezialitätenladen mit jüdisch inspirierten Gerichten, Backwaren und Lebensmitteln. Matzo-Bällchen Suppe, verschiedene Aufläufe oder Grillhähnchen gibt es hier direkt auf die Hand oder zum Mitnehmen. Der schmale Laden verkauft auch frisches Fleisch, Käse und weitere Produkte der besten Lieferanten in und um Brooklyn. An heißen Tagen lässt sich der Einkauf am besten direkt auf der sonnigen Terrasse genießen.

455A Myrtle Avenue, Mo. – Fr. 7:30 a.m. – 9 p.m.
Sa. 8 a.m. – 9 p.m., So. 9 a.m. – 7 p.m.
peckshomemade.com

Pratt Sculpture Park SEHEN

Über den gesamten Campus des renommierten Pratt Institutes, einer Kunsthochschule für Design und Architektur, erstrecken sich gut 50 Skulpturen jeder Art. Die jährlich wechselnden Kunstwerke sind von niemand anderem gemacht als von Studenten, Absolventen und Professoren des Institutes. Beim Spaziergang durch die Gärten inmitten der Fakultätsgebäude kommt garantiert studentische Beschwingtheit auf.

Eingang an der Kreuzung DeKalb Avenue und Hall Street, tagsüber geöffnet, Eintritt frei, pratt.edu

↑ **Olea**
Mediterranes Bistro und Flair

↑ **DanceAfrica Bazaar**
Essen, Kunst, Musik – das Fest feiert die vielseitige Kultur Afrikas

↑ **Peck's**
Theo Peck in seinem jüdisch inspirierten Spezialitätenladen

Red Lantern Bicycles CAFÉ

Fahrräder gehören zu den größten Erfindungen der Menschheit – so lautet das Credo im Red Lantern. Im hinteren Bereich der Bar gibt es deshalb eine kleine Werkstatt. Aber es pocht noch etwas in den Herzen der Besitzer: die Leidenschaft für Kaffee. Daher rösten und kochen sie ihren Kaffee auch selbst. Auch die Kakaos, Chais und Limonaden sind alle hausgemacht und schmecken hervorragend.

345 Myrtle Avenue, Bike Shop: Mo. – Sa. 9 a.m. – 9 p.m. So. 9 a.m. – 7 p.m., Café & Bar: Mo. – Fr. 7 a.m. – 11 p.m. Sa. & So. 8 a.m. – 11 p.m., redlanternbicycles.com

Williamsburgh Savings Bank Tower SEHEN

Das unübersehbare Gebäude war mit seinen 156 Metern lange das höchste in Brooklyn. Ursprünglich diente es als Zentrale der einstigen Williamsburgh Savings Bank, heute nehmen Luxusapartments und Arztpraxen die 37 Stockwerke ein. Neben dem byzantinisch-romanischen Baustil ist ein besonderes Merkmal die vierseitige Uhr, die aus allen Himmelsrichtungen erkennbar ist – praktisch, denn zu sehen ist der Turm nicht nur von Downtown Brooklyn aus, sondern auch von Queens, Manhattan und sogar der Bronx.

1 Hanson Place.

1 Alice's Arbor
2 BAM
3 Bitter Sweet
4 Black Forest Brooklyn
5 BRIC Arts Media House
6 Clementine Bakery
7 El Toro Taqueria
8 Fort Greene Flea
9 Fort Greene Park
10 Greenlight Bookstore
11 Habana Outpost
12 Hot Bird
13 Outpost Lounge
14 Madiba
15 Olea
16 Peck's
17 Pratt Sculpture Park
18 Red Lantern Bicycles
19 Williamsburgh Savings Bank Tower
M Metrostation
FORT GREENE PARK
278
30
Park Av
Taaffe Pl
Kent Av
Carlton Av
Waverly Av
Hall St
Myrtle Av
Washington Park
Willoughby Av
Dekalb Av
Classon Av
Clinton - Washington Avs
Clifton Pl
Lafayette Av
Fulton St
Grand Av
Greene Av
Lexington Av
Hanson Pl
Gates Av
Downing St
Irving Pl
Putnam Av
Atlantic Av Barclays Ctr
Flatbush Av
Dean St
Lefferts Pl
Atlantic Av
Bergen St
Vanderbilt Av
Pacific St
Prospect Pl
5th Av
Park Pl
Sterling Pl
St Johns Pl
6th Av
Underhill Av
St Marks Av
Berkeley Pl
Grand Army Plaza

BLACK FOREST
BIERMOSAS
Offering
17TH ANNUAL
SURF
CONTEST

Ayana & Tobias Holler

BLACK FOREST BROOKLYN

An der Fassade steht in großen weißen Buchstaben: „Black Forest Brooklyn". Tausende Kilometer weit weg vom Schwarzwald haben sich Ayana und Tobias Holler in Fort Greene ein kleines Stück Zuhause geschaffen. Beide stammen aus Nachbardörfern in Südbaden, ihre Wege kreuzten sich aber erst Jahre später fernab der Heimat: in New York. Tobias lebte schon seit über zehn Jahren im „Big Apple", Ayana kam 2012 nach. Schnell funkte es zwischen ihnen und ebenso schnell war die Idee eines eigenen Restaurants geboren. Aus Liebe zu ihrer gemeinsamen Heimat eröffneten sie im Dezember 2013 das „Black Forest Brooklyn" – einen authentisch deutschen Indoor-Biergarten. Von Anfang an brummte der Laden und sie konnten das Essen gar nicht so schnell kochen, wie es bestellt wurde. „Mit unserer badischen Küche haben wir eine Marktlücke in New York entdeckt und im Viertel Fort Greene die perfekte Location gefunden", berichtet Ayana. Auch Flammkuchen, Kartoffelpuffer mit Apfelmus und Käsespätzle finden sich auf der Karte und kommen bei ihrer Kundschaft sehr gut an. „Die ist genauso bunt gemischt wie Brooklyn selbst", sagt Tobias Holler. „Wir haben uns das ‚Black Forest Brooklyn' als einen Treffpunkt für Menschen aller Art gedacht. Hier ist jeder willkommen, ob Alt oder Jung, Singles oder Familien. So vielfältig und multikulturell wie Brooklyn eben ist", ergänzt Ayana, die selbst Halb-Jamaikanerin ist. „Wir hoffen, dass wir einen Ort geschaffen haben, der Leute zusammenbringt, während sie bei einem guten deutschen Bier die traditionelle süddeutsche Küche genießen."

Bier-Liebhaber kommen im „Black Forest Brooklyn" voll auf ihre Kosten: Es gibt 14 ausgewählte deutsche Biersorten vom Fass – inklusive Rothaus, das hier erstmalig auf amerikanischem Boden ausgeschenkt wird. Aber auch eine Auswahl an Süddeutschen Weinen und Cocktails zum Schwarzwaldthema stehen auf der Karte.

Deutsche Kultur wird im „Black Forest Brooklyn" groß geschrieben und bei traditionellen Festen wie der Fastnacht und dem Oktoberfest entsprechend zelebriert. Dann ist, wie auch bei Fußballspielen, die Hütte rappelvoll, und es wird die eine oder andere Maß geleert.

„Unsere Einrichtung ist zeitgenössisch, gemischt mit Schwarzwald-Inspirationen", sagt Tobias, der als gelernter Architekt für das Design und die Konstruktion des Projektes verantwortlich war. „Die eine Hälfte des Gastbereiches haben wir wie ein Wohnzimmer gestaltet, mit einer gemütlichen Holzdecke und rustikalen Ziegelwänden. Die andere Hälfte wird dank der Himmelslichter mit Licht geflutet, so dass eine richtige Biergarten-Atmosphäre entsteht." Mit dem „Black Forest Brooklyn" haben sich Ayana und Tobias ihren Lebenstraum erfüllt. Und das alles mitten in Brooklyn.

blackforestbrooklyn.com

Bed-Stuy & Crown Heights

Bedford-Stuyvesant (Bed-Stuy) und Crown Heights stehen allem voran für ihre ausgeprägte afroamerikanische und karibische Kultur. In den 20er Jahren, als zunehmend Schwarze aus Harlem nach Bed-Stuy zogen, bildete sich hier New Yorks zweitgrößte afroamerikanische Community. Durch Bandenkriege und Rassenkämpfe herrschten ab den 60ern Intoleranz und Kriminalität. Erst um die Jahrtausendwende wurde es auf Bed-Stuys Straßen wieder friedlicher – als Folge einer verschärften Lokalpolitik und zunehmender Gentrifizierung. In nur zehn Jahren wuchs die Zahl weißer Einwohner von 2,5 auf 15 Prozent. Beide Viertel zogen neue Bewohner an, insbesondere durch die so beliebten und hier relativ erschwinglichen Brownstone-Häuser. Dass sich das Straßenbild weiter verändert, wenn auch langsam, ist am besten auf den lebhaften Straßen Franklin Avenue in Crown Heights und Bedford Avenue in Bed-Stuy zu erkennen. Wer im Zentrum des Geschehens bleibt und Ausflüge zu später Stunde in die Randbezirke unterlässt, erlebt Brooklyn hier auf sichere Weise von einer ganz besonderen Seite: einfach, rau, authentisch.

M Subway-Linie G bis Haltestelle Classon Avenue oder Bedford-Nostrand Avenues, Linien 2,3,4,5 und C bis Franklin Avenue.

IN LOVING MEMORY
FAMI
FROM
BIG DUKE

Berg'n ESSEN

Diese „Bierhalle", die zunächst an eine bessere Kantine erinnert, ist einer der hippen Neuzugänge der Gegend. Einige von Brooklyns Gastronomie-Pionieren haben sich hier mit folgender Mission vereint: ausgefallenes Fast Food und Bier in möglichst einfachem Flair! Das Konzept funktioniert. Am besten selbst ausprobieren, zum Beispiel mit dem legendären Ramen-Burger (Burger zwischen asiatischen Suppennudeln anstatt Brötchen) und einem Bourbon Coffee Stout Bier.

899 Bergen Street, Di. – Fr. ab 9 a.m.
Sa. & So. ab 10 a.m., Ende offen.
bergn.com

Beast of Bourbon BAR

BBQ, Beer & Rock 'n' Roll: Wer auf Deftiges vom Grill, gute Drinks und Live-Musik steht, der sollte diese Bar auf keinen Fall auslassen. Die Auswahl der 200 Whiskey-Varianten, 40 Biersorten vom Fass, wöchentliche Spezial-Angebote wie der Taco-Tuesday und ein überdachter Biergarten dürften so ziemlich jeden überzeugen.

710 Myrtle Avenue
So. – Do. 5 p.m. – 12 a.m.
Fr. & Sa. 5 p.m. – 2 a.m.
beastofbourbonbk.com

↑ **Berg'n**
Diverse Essens- und Getränkestände unter einem Dach

Bed Vyne Brew BAR

Eine Eckkneipe mit Sitzmöglichkeiten im Freien ist recht selten in dieser Gegend. Somit ist die angrenzende Terrasse ein absoluter Sommertipp. Doch auch drinnen geht es gemütlich her, mit Holzleisten verziert und gesprächigen Barmännern, die einem Pints mit hausgebrautem Bier der Saison einschenken. Mal keine Lust auf ein kühles Blondes? Kein Problem dank des direkt angeschlossenen Weinladens mit toller Auswahl. Happy Hour Montag bis Donnerstag: 5 p.m. – 8 p.m. Dienstags gibt es Live-Musik.

370 Tompkins Avenue, Mo. – Fr. 4 p.m. – 2 a.m.
Sa. 12 p.m. – 3 a.m., So. 12 p.m. – 1 a.m.
bed-vyne.com

Brooklyn Kolache Bakeshop + Coffeehouse CAFÉ

Es müssen nicht immer Doughnuts sein: Das Back- und Kaffeehaus hat sich auf das tschechische Gebäck Kolatsche spezialisiert. Die Teigtaschen werden täglich frisch zubereitet und handgefüllt mit Zutaten wie Limonencreme, Erdbeeren oder Würstchen und Käse. Auch die Getränkekarte kann sich sehen lassen: Kaffee von der aus Brooklyn stammenden „Kitten Coffee"-Rösterei, eine breite Palette an feinen Teesorten von Harney & Sons und hausgemachter Chai.

520 Dekalb Avenue, Mo. – Do. 7 a.m. – 7 p.m.
Fr. 7 a.m. – 8 p.m., Sa. 8 a.m. – 8 p.m., So. 8 a.m. – 6 p.m.
brooklynkolacheco.com

Brooklyn Bell's The Local ESSEN

Die beiden Besitzer Katie und Ron Cunningham stellten 2011 in ihrer eigenen Küche Eiskreationen her, so wie Oma sie gemacht hätte, nur besser. Milch und Sahne, roher Turbinado-Zucker und Eigelb sind die Basis ihrer Eissorten. Nach alt bewährter Methode arbeiten sie mit möglichst wenig Zutaten – alles frisch und ohne Zusatzstoffe. Als die Kundschaft größer und die Küche zu klein wurde, mieteten sie einen Laden und das Brooklyn Bell's The Local war geboren.

843 Classon Avenue
Di. – So. 12 p.m. – 8 p.m.
brooklynbell.com

Gemessen an den Kirchen wird nirgendwo in Brooklyn so ausgiebig Religion zelebriert wie in Bed-Stuy. Die Neighborhood zählt mehr als 500 Kirchen, Moscheen und Synagogen. Vor allem an Sonntagen herrscht auf den Straßen daher eine besonders gemeinschaftliche Stimmung, wenn sich Familien – merklich herausgeputzt – zum Gottesdienst treffen und auch lange danach noch zusammenstehen, klönen und gemeinsam essen gehen. In vielen Einrichtungen sind auch Besucher willkommen. In der protestantischen Concord Baptist Church of Christ (concordcares.org) zum Beispiel werden Interessierte beim sonntäglichen Gospel Gottesdienst um 10 a.m. von der Gemeinde herzlich empfangen.

1565
773-8194
VARIETY
DISCOUNT

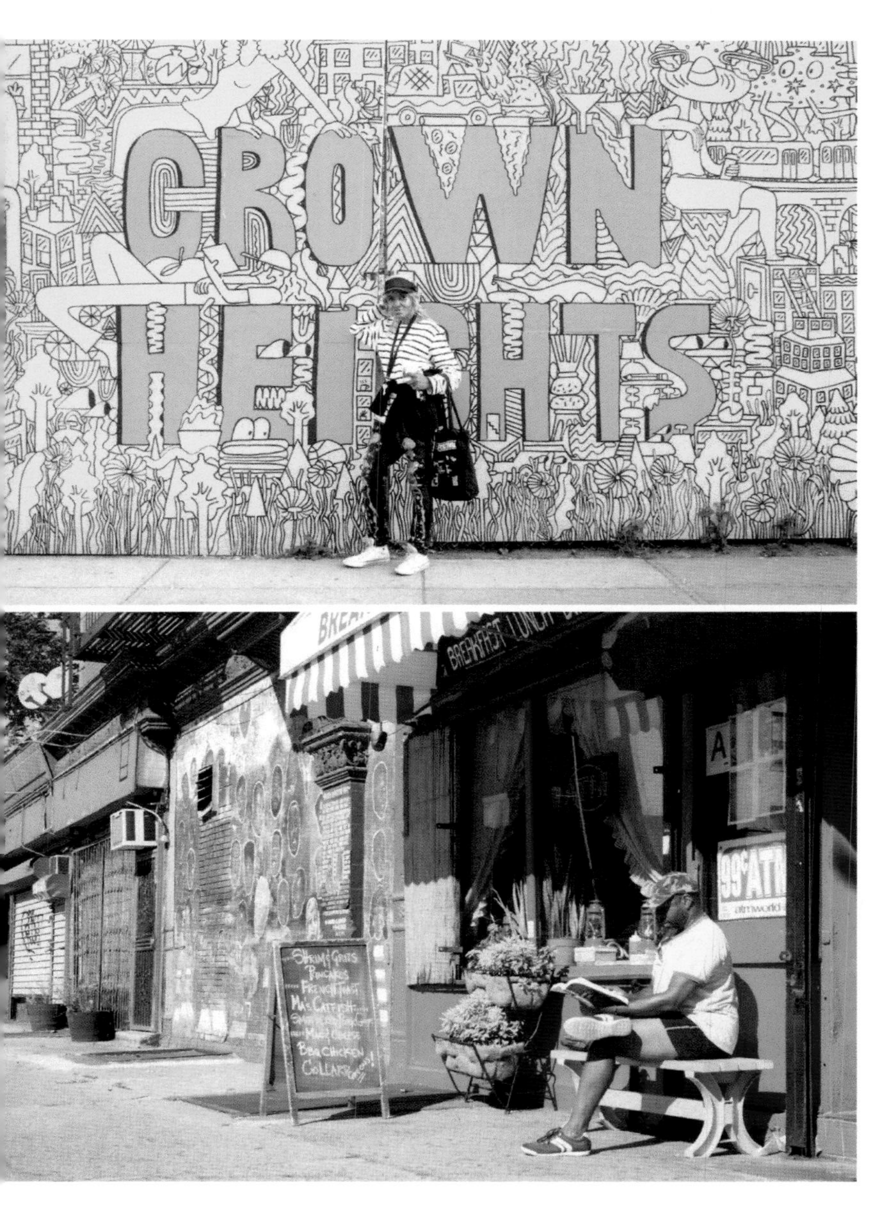
CROWN
HEIGHTS
BREAKFAST LUNCH
99¢ ATM
Pancakes
French Toast
Ma's Catfish
BBQ Chicken

Chavela's ESSEN

Besitzer und Chefkoch Arturo Leonar bringt mit seinem Restaurant ein Stück Mexiko nach Crown Heights. Jenseits des üblichen Tacos- und Tortillas-Angebots, verzaubert er seine Gäste mit authentisch mexikanischen, vegetarischen Fisch- und Fleischspezialitäten (gefüllte Paprika, Chicken Mole, Tilapia im Bananenblatt) sowie einer erfreulichen Auswahl an Tequila und Mezcal Cocktails. Das landestypische Dekor macht Laune und ist so bunt wie Arturos Gerichte. Happy Hour: 4 – 7 p.m.

736 Franklin Avenue, So. – Do. 8 a.m. – 11 p.m., Fr. 8 a.m. – 12 a.m., Sa. 10 a.m. – 11 p.m., chavelasnyc.com

↑ **Chavela's**
Bunter Mexikaner

David's Brisket House & Deli ESSEN

Inmitten von Sportgeschäften, Fast-Food-Ketten und 99 Cent-Läden, im turbulenten Teil von Bed-Stuy, sticht dieser kleine Kiosk besonders hervor. Die Spezialität des Hauses: Pastrami Sandwich – warmes zartes Fleisch, fein marmoriert und so saftig, dass einem das Wasser schon vor der Bestellung im Mund zusammenläuft. Die Sandwiches kommen in zwei Größen. Für Unentschlossene gibt es vorab auch eine Kostprobe.

533 Nostrand Avenue, Mo. – Do. 9 a.m. – 8 p.m. Fr. & Sa. 9 a.m. – 9 p.m., So. 10 a.m. – 8 p.m.

Dough CAFÉ

Achtung: Suchtgefahr! Als Fany Gerson ihren Laden vor vier Jahren an dieser unscheinbaren Ecke in Bed-Stuy eröffnete, hätte sie nicht zu träumen gewagt, welch überwältigende Resonanz sie für ihre Doughnuts bekommen würde. Ihre Hefe-Kreationen sind mittlerweile so beliebt, dass sie bei der großen Nachfrage kaum hinterherkommt. Man munkelt, es seien die besten der Stadt oder gar weltweit. Unbedingt „Lemon Poppy" oder „Chocolate-Cocoa Nip" probieren!

448 Lafayette Avenue, Mo. – So. 6 a.m. – 9 p.m. doughdoughnuts.com

FiveMyles Gallery SEHEN

Zeitgenössische Kunst und Fotografie stehen auf dem Programmplan dieser kleinen Galerie. Selbst der Laie erkennt schnell, dass die ausgewählten Künstler inspiriert sind durch das Leben und die Kultur Ostafrikas und der Karibik. Besucher lernen Crown Heights hier nicht nur von seiner kreativen Seite kennen, sondern unterstützen gleichzeitig eine gemeinnützige Einrichtung.

558 St. Johns Place, Do. – So. 1 p.m. – 6 p.m. fivemyles.org

↑ **Dough**
Täglich neue Doughnut-Varianten

↑ **Brooklyn Bell's The Local**
Hausgemachtes Eis

Franklin Park BAR

Unverkennbar, dass das Franklin Park früher eine Garage war. 2008 wurde aus dem heruntergekommenen Grundstück eine Bar, die sich sehen lassen kann. Einmalig ist der zugehörige Biergarten, die ehemalige Garageneinfahrt, in der Gäste ihr Bier trinken, als wäre sie nur dafür gemacht. Verbunden ist der Laden mit der Burgerbude Dutch Boy Burger (dutchboyburger.com), von der Hungrige ihr Essen direkt in Bar oder Biergarten ordern können.

618 St. Johns Place, Mo. – Fr. 3 p.m. – 4 a.m.
Sa. & So. 1 p.m. – 4 a.m.
franklinparkbrooklyn.com

Friends and Lovers BAR

„Good people, good music, good times!" ist das Motto dieses kleinen Nachtclubs. Getränke und Gequatsche im Barbereich vorne, Tanzfläche und Konzerte im Saal dahinter. Die Webseite gibt Aufschluss über das aktuelle Programm. Klein aber fein!

641 Classon Avenue, So. – Do. 5 p.m. – 2 a.m.
Sa. & So. 5 p.m. – 4 a.m., fnlbk.com

↑ **Berg'n**

Gloria's ESSEN

Für die wahre karibische kulinarische Erfahrung lohnt ein Abstecher zu Gloria's. Ganz oben auf der Karte über dem Tresen stehen die inseltypischen Roti – hausgemachte Teigtaschen gefüllt mit würzigem Fleisch oder Gemüse. Mit den Menüoptionen lassen sich verschiedene Schmor- und Currygerichte mit ausgefallenen Beilagen von Kochbananen bis Okraschoten kombinieren. So authentisch wie das Essen ist übrigens auch die Ausstattung, die den Charme einer einfachen Imbissbude hat.

764 Nostrand Avenue, 6 a.m. – 11. p.m.
glorias-hub.com

Jewish Tours MACHEN

Unübersehbar in Crown Heights und Bed-Stuy ist die große jüdisch-orthodoxe, chassidische Gemeinde – leicht erkennbar an den buschigen Bärten, großen Hüten und dunklen Mänteln der Männer oder an den einheitlichen Frisuren und der blickdichten Kleidung der Frauen. Um mehr über Geschichte und Kultur der Gemeinde zu erfahren, bietet die tägliche Jewish Tour einen dreistündigen Einblick in das jüdische Leben in Crown Heights und beleuchtet damit eine absolut faszinierende Seite Brooklyns.

305 Kingston Avenue, So. – Fr. 10 a.m.
nur mit Voranmeldung online, Preis: $25 – $50
koscheres Mittagessen inklusive, jewishtours.com

← **Franklin Park**
Biergarten in einer ehemaligen Garage

Lady J Jewelry KAUFEN

Ladenbesitzerin und Designerin Jessica d'Amico ist Absolventin der angesehenen Kunsthochschule Pratt Institute in Fort Greene. Nach praktischem Training bei etablierten Schmuckdesignern in Manhattans East Village entschied Jessica, ihre Schmuckstücke nach Brooklyn zu bringen und eröffnete im Jahr 2002 ihren eigenen Laden. Ringe, Ketten, Armbänder und Co. sind auch schon für kleines Budget zu haben und kommen natürlich alle exklusiv aus Jessicas Schmiede.

679 Classon Avenue, Mi. – Sa. 12 p.m. – 7. p.m.
ladyjjewelry.com

↑ **Owl and Thistle General Store**
Bei Keri Cavanaugh gibt es ausgefallene Souvenirs

Little Zelda CAFÉ

Was von außen zunächst wirkt wie ein Blumenladen, birgt drinnen eine charmante Espressobar mit besten Kaffeeoptionen. Die wenigen Plätze sind entsprechend begehrt. Das Schwarze Brett ruft zur Hilfsbereitschaft in der Nachbarschaft auf und zeigt, was Leute gerade suchen oder abgeben. Einfach mal reinschauen in das Zettelchaos!

728 Franklin Avenue, Mo. – Fr. 7 a.m. – 6 p.m.
Sa. & So. 8 a.m. – 6 p.m., littlezelda.com

↑ **Brooklyn Kolache Bakeshop + Coffeehouse**
Spezialität des Hauses ist das tschechische Gebäck „Kolatsche“

Owl and Thistle General Store KAUFEN

Ob Seife, Schokolade oder Postkarten – das liebevoll zusammengestellte Repertoire ist hochwertig und zu hundert Prozent handgemacht. Das Lädchen eignet sich hervorragend zum Stöbern, Probieren und natürlich Kaufen. Wer fündig wird, hat vielleicht nicht nur das perfekte Brooklyn-Souvenir, sondern sicher etwas für die lokale Kleinkunst getan. Denn hier ist alles „made in Brooklyn".

833 Franklin Avenue, Mo. & Mi. – Fr. 12 p.m. – 7 p.m.
Sa. & So. 11 a.m. – 6 p.m., owlandthistlegeneral.com

Peaches ESSEN

Das Peaches imponiert mit seiner modernen südlich angehauchten Speisekarte (Southern Style). Hier wird am liebsten mit den örtlichen Bauern zusammen gearbeitet, und genau das spiegelt sich auch in den erfrischend einfachen Gerichten und neu interpretierten Klassikern wider. Dafür nimmt man gerne eine etwas längere Wartezeit in Kauf – es lohnt sich!

393 Lewis Avenue, Mo. – Sa. 11 a.m. – 11 p.m.
So. 10 a.m. – 11 p.m.
bcrestaurantgroup.com/peaches

↓ **Lincoln Station**
Frische Sandwich-Varianten und starker Kaffee

↑ **Stonefruit Espresso + Kitchen**
Hipster-Café mit Fokus auf Nachhaltigkeit

Saraghina ESSEN
Schon seit 2009 ist die rustikale italienische Taverne ein Highlight in Bed-Stuys Gastroszene. Neben bunter Antipasti und frischer Pasta ist das Saraghina vor allem für seine Steinofenpizza bekannt und beliebt. Der Teig ist knusprig und der Belag vom Feinsten. Stammgäste kommen vor allem für die ausgefallenen Pizzakreationen wie „Copa & Carciofi" (Schweinenacken und geröstete Artischocken) oder „Winter Ortolana" (Schafsricotta, Kürbis und Grünkohl).

435 Halsey Street, Mo. – Fr. 8 a.m. – 11 p.m.
Sa. & So. 10 a.m. – 11 p.m.
saraghinabrooklyn.com

Stonefruit Espresso + Kitchen CAFÉ
Es war eine Kickstarter-Kampagne, die dieses gemütliche Hipster-Café ermöglichte. Der Fokus von Besitzerin Laura Sorensen liegt auf dem „farm-to-table"-Konzept – auf den Tisch kommen nur frische Lebensmittel direkt vom Bauern. Klar, dass sie die Produkte von Höfen aus der Umgebung bezieht. In dem saisonal wechselnden Angebot kombiniert Laura kleine Mahlzeiten, leckeres Gebäck und nachhaltig angebauten Kaffee.

1058 Bedford Avenue, Mo. – Fr. 7:30 a.m. – 6 p.m.
Sa. & So. 8:30 a.m. – 6 p.m.
stonefruitespresso.com

Taco-Truck & Bar Chilo's BAR/ESSEN
Diese mexikanische Bar verfügt über einen großzügigen Außenbereich samt dauerhaft geparktem Taco-Truck. Drinnen fühlt man sich wie in Pablo Escobars Billardzimmer, nur mit einem Hauch mehr Mexiko. Die Karte ist klein aber fein: verschiedene Tacos sowie Tostadas, Ceviches, Tortas und Tamales zu fairen Preisen. Auch an guten Drinks fehlt es nicht. Von einer guten Bierauswahl über Frozen Margaritas bis zur langen Tequila-Liste – durstig verlässt hier keiner den Laden.

323 Franklin Avenue, Taco-Truck:
So. – Do. 12 p.m. – 12 a.m., Fr. & Sa. 12 p.m. – 2 a.m.
Bar: Mo. – Do. 4 p.m. – 2 a.m., Fr. 4 p.m. – 4 a.m.
Sa. 12 p.m. – 4 a.m., So. 12 p.m. – 2 a.m.
chilosbk.com

↑ **Peaches**
Ehrlicher Diner mitten in Bed-Stuy

Weeksville Heritage Center SEHEN
Das kleine Kulturzentrum erzählt die Geschichte afroamerikanischer Einwanderer in Brooklyn. Der Schauplatz ist gut gewählt: Genau hier formte sich im späten 19. Jahrhundert die Gemeinde „Weeksville" als eine der ersten Zusammenschlüsse freier Schwarzer in New York City. Dem modernen Museumsgebäude mit seiner oasenartigen Gartenanlage stehen drei historische Häuser gegenüber, die das afroamerikanische Leben in Brooklyn zwischen 1860 und 1930 veranschaulichen.

158 Buffalo Avenue, Di. – Fr. 9 a.m. – 5 p.m.
geführte Touren Di. & Do. um 3 p.m.
ohne Anmeldung, weeksvillesociety.org

ARCHITEKTOUR

Den Spitznamen „Brownstone-Brooklyn“ hat Bed-Stuy wegen seiner extrem hohen Dichte an typischen Backsteinhäusern. Architektonische Schmuckstücke sind insbesondere im historischen Teil „Stuyvesant Heights“ zu finden. Ein Spaziergang rund um die von Bäumen gesäumten Straßen McDonough Street und Stuyvesant Avenue zeigt die vielleicht schönsten Reihenhäuser sowie auffällige, freistehende Villen aus dem 19. Jahrhundert.

1 Berg'n
2 Beast of Bourbon
3 Brooklyn Kolache Bakeshop
4 Brooklyn Bell's The Local
5 Chavela's
6 Concord Baptist Church of Christ
7 David's Brisket House & Deli
8 Dough
9 FiveMyles Gallery
10 Franklin Park
11 Friends and Lovers
12 Gloria's
13 Jewish Tours
14 Lady J Jewelry
15 Little Zelda
16 Owl and Thistle General Store
17 Peaches
18 Saraghina
19 Stonefruit Espresso + Kitchen
20 Stuyvesant Heights
21 Taco-Truck & Bar Chilo's
Architektour
M Metrostation
Hewes St
Montrose Av
Morgan Av
Broadway
Lorimer St
Flushing Av
Myrtle - Willoughby Avs
Nostrand Av
Franklin Av
Kingston - Throop Avs
Utica Av
Nostrand Av
Kingston Av
Crown Hts - Utica Av
President St
Lee Av
Park Av
Myrtle Av
Bedford Av
Dekalb Av
Lafayette Av
Gates Av
Nostrand Av
Halsey St
Fulton St
Atlantic Av
Malcolm X Blvd
Rogers Av
New York Av
Utica Av
Eastern Pkwy
278
31
22

HIBISCUS
NUTELLA
LEMON POPPYSEED
PUMPKIN PUREE
CHOCOLATE
EARL GREY
CHEESECAKE
D

Shakila James

DOUGH

Doughnuts von Dough sind ohnehin schon einsame Spitze. Wenn sie einem aber von einer so lebensfrohen und sympathischen Person wie Shakila James verkauft werden, ist der Tag perfekt.

Wer bist du und was machst du?
Ich bin Shakila, etwas über 20 Jahre alt und komme aus South Side Jamaica, Queens. Dort bin ich geboren und aufgewachsen. Seit etwa zwei Jahren wohne ich nun in „The Stuy", verkaufe Doughnuts und habe eine Schwäche für den „Mocha Almond Crunch". Ich mag es, hier zu arbeiten, besonders, weil ich so viele nette Leute kennenlerne. Bevor ich hier anfing, hatte ich überhaupt keine Ahnung vom Backen. Jetzt kann ich es aus dem Effeff.

Welches ist dein Lieblingsviertel?
Definitiv Crown Heights. Meine Familie kommt von der Insel Barbados, und immer wenn ich in Crown Heights bin, fühle ich mich wie zu Hause. Hier gibt es so viele gute Restaurants, die das servieren, was ich aus Barbados kenne. Sehr gern mag ich das → Gloria's auf der Nostrand Avenue. In Crown Heights gibt es auch einige richtig gute Supermärkte für Leute, denen spezielle und vor allem frische Lebensmittel wichtig sind.

Hast du einen Restaurant-Tipp?
Das → Ghenet Brooklyn in Park Slope – äthiopisch! Das ist zwar nicht meine heimische Küche, aber die Gerichte sind so wunderbar speziell gewürzt und die Portionen groß.

Was sind deine Hobbies?
Mein Pass liebt Tätowierungen. Ich reise unheimlich gerne und viel. Immer wenn es mein Geldbeutel zulässt, buche ich den nächsten Flug. Gerade erst war ich mit einigen Freunden zum Mardi Grass in Trinidad und Tobago. Das war toll! Wohin es als nächstes geht, steht noch nicht fest. An Ideen mangelt es jedenfalls nicht.

Warum sollten Reisende unbedingt nach Brooklyn kommen?
Manhattan ist schon ok, und wenn man für eine kurze Zeit nach New York kommt, möchte man natürlich auch das Empire State Building und den Times Square sehen. Das verstehe ich ja. Das ist das New York, das einem über die Medien vermittelt wird. Aber Brooklyn ist einfach so viel toller, bodenständiger, ehrlicher. Abgesehen von den Sehenswürdigkeiten gibt es in Brooklyn alles, was es da drüben in Manhattan auch gibt. Und noch viel mehr! Ich mag die Energie der Stadt einfach. Du kannst ihr nicht entkommen und wenn du einmal hier warst, möchtest du gar nicht mehr weg. Einmal Brooklyn, immer Brooklyn!

Beschreibe Brooklyn in drei Wörtern!
Kulturell. Lebhaft. Derb.

doughdoughnuts.com

Prospect Heights

Trendig & angesagt, aber auf dem Boden geblieben – das ist Prospect Heights. Trotz rapider Gentrifizierung ist der ursprünglich karibische Einfluss durch die Menschen, das Essen und die nachbarschaftliche Geselligkeit deutlich spürbar. Gemeinsames Grillen auf dem Bürgersteig oder Treffen auf Nachbars Treppen – das Leben findet hauptsächlich draußen statt. Mit den vermehrt zuziehenden Studenten, jungen Berufstätigen und Familien wächst auch die Vielfalt an Bars, Cafés und Restaurants. Viel Abwechslung bieten insbesondere die Straßen Vanderbilt und Washington Avenue. Beim Abendprogramm „in the Heights" ist für jeden etwas dabei: Happy Hour, Cocktailbar oder Live-Musik. Der verhältnismäßig kleine Stadtteil bietet ansonsten nicht nur unmittelbare Nähe zum Prospect Park, er beheimatet auch die drei monumentalsten Bauten von ganz Brooklyn: Das Brooklyn Museum, die Brooklyn Public Library und der Triumphbogen am Grand Army Plaza liegen nur wenige Fußminuten voneinander entfernt und bieten ein vielseitiges Kulturprogramm. So wird ein Besuch in Prospect Heights auch tagsüber zu einem besonderen Brooklyn-Erlebnis.

M Subway-Linien B, D, N, Q, R, 2, 3, 4 und 5 bis Haltestelle Atlantic Avenue-Pacific Street. Linien B und Q bis Haltestelle 7th Avenue oder Prospect Park. Linien 2 und 3 bis Haltestelle Bergen Street, Grand Army Plaza oder Eastern Parkway.

Ample Hills Creamery ESSEN

Ob Sommer oder Winter: Bei Ample Hills gibt es immer Eis und zwar vom Feinsten! Vom Eis bis zur Waffel wird hier alles selbst gemacht. Inhaber Jackie und Brian setzen dabei auf natürliche Zutaten und kreative Sorten, die täglich wechseln: Maple-Bacon, Beet Juice Bubble Gum oder Salted Crack Caramel gehören sicherlich zu den Ausgefallenen. Der Laden in Prospect Heights ist der erste von mittlerweile fünf Ample Hill Filialen in New York, davon vier in Brooklyn.

623 Vanderbilt Avenue
So. – Do. 12 p.m. – 11 p.m., Fr. & Sa. 12 p.m. – 12 a.m.
amplehills.com

↑ **Ample Hills Creamery**
Eisladen mit einmaligen Sorten

Bearded Lady BAR

Was früher ein Frisörsalon war, ist heute eine der am meisten besuchten Bars in der Gegend. Die hell gekachelte Einrichtung lässt dies nur noch erahnen. Neben genügend Sitzgelegenheiten – im Sommer auch draußen – gibt es einen Billardtisch, ausgezeichnete Cocktails, wechselnde Biere und täglich Happy Hour (mit Austern!) bis 6 p.m.

686 Washington Avenue, Mo. – Fr. 2 p.m. – 4 a.m.
Sa. & So. 12 p.m. – 4 a.m.

↑ **Prospect Park**
Pause vom städtischen Treiben

Brooklyn Botanic Garden SEHEN

Eine extra Portion Ruhe und frische Luft bringt ein Besuch im botanischen Garten. Rosengärten, tropische Gewächshäuser und Bonsai-Bäume – hier gibt es viel zu sehen. Der jährliche Höhepunkt ist das „Cherry Blossom Festival“ Ende April, wenn die japanischen Kirschbäume sich in ein knalliges pinkes Blütenmeer verwandeln. Zur perfekten Planung zeigt die Webseite, ob und wie viele Bäume bereits blühen.

990 Washington Avenue, März – Oktober:
Di. – Fr. 8 a.m. – 6 p.m., Sa. & So. 10 a.m. – 6 p.m.
November – Februar: Di. – Fr. 8 a.m. – 4:30 p.m.
Sa. & So. 10 a.m. – 4:30 p.m., Mo. geschlossen
Eintritt: Erwachsene $12, Senioren und Studenten $6
Kinder bis zwölf Jahre frei, Eintritt frei: dienstags ganztägig, samstags von 10 a.m. – 12 p.m. und von November bis Februar Dienstag bis Freitag ganztägig.
bbg.org

Brooklyn Museum SEHEN

Das Brooklyn Museum ist nach dem Metropolitan Museum das zweitgrößte Museum New Yorks. Die Architektur und der imposante Eingang stehen dem großen Bruder in Manhattan in nichts nach. Zu sehen gibt es hier neben Werken der amerikanischen Kunstgeschichte vor allem afrikanische, fernöstliche und ägyptische Kunstsammlungen, oft ergänzt um Sonderausstellungen Moderner Kunst. Einen Museumsbesuch der anderen Art bietet das Museum am jeweils ersten Samstag des Monats von 5 p.m. – 11 p.m. (Eintritt frei!). Neben Kunst gibt es dann Bier, Wein, Snacks und immer wechselnde Live-Musik.

200 Eastern Parkway
Mi. 11 a.m. – 6 p.m., Do. 11 a.m. – 10 p.m.
Fr. – So. 11 a.m. – 6 p.m., Eintritt: Erwachsene $16
Senioren und Studenten $10, Kinder und Teenager bis 19 Jahre frei, Eintritt frei: samstags von 5 p.m. – 11 p.m.
brooklynmuseum.org

Cheryl's Global Soul ESSEN

Ob Breakfast, Lunch oder Dinner – Cheryl's bietet gemütliches Ambiente und beeindruckt durch die Qualität des Essens. Besonders gut ist hier der Wochenend-Brunch. Mit Cheryl's Brioche French Toast, Buttermilk Pancakes oder pochierten Eiern über Lachs kann die umliegende Konkurrenz kaum mithalten. Zum wach werden gibt's eine Mimosa (Sekt mit O-Saft) oder Bloody Mary gleich dazu. Am Abend steht amerikanische Küche auf der Karte. Unbedingt nach dem hausgemachten Ginger-Ale fragen! Happy Hour Dienstag bis Freitag: 4 p.m. – 7 p.m.

236 Underhill Avenue, Mo. 8 a.m. – 4 p.m.
Di. – Do. 8 a.m. – 10 p.m., Fr. & Sa. 8 a.m. – 11 p.m.
So. 8 a.m. – 10 p.m., cherylsglobalsoul.com

Chuko Ramen ESSEN

Dieser gemütliche kleine Laden überzeugt durch seine Einfachheit. Die Karte bietet

↑ **Bearded Lady**
Lichtdurchflutete Bar in einem ehemaligen Frisörsalon

HAPPY
HOUR
$5 CRAFT
DRAFTS
$1 OYSTERS
5-8

Sit & Wonder
A

neben ein paar Vorspeisen ausschließlich Varianten der japanischen Nudelsuppe „Ramen". Falsch machen kann man nichts, denn alle Varianten sind hier einfach köstlich. Dazu gibt's Sapporo-Bier vom Fass und Sake. Gäste sollten ein wenig Wartezeit einplanen. Diese kann mit einem Aperitif im gegenüberliegenden → Weather Up gut überbrückt werden.

522 Vanderbilt Avenue, Mo. – So. 12 p.m. – 3 p.m.
So. – Do. 5:30 p.m. – 10 p.m., Fr. & Sa. 5:30 p.m. – 11 p.m.
barchuko.com

The Islands ESSEN

Essen in diesem Familienbetrieb ist wie ein kleines Abenteuer. Über eine steile Treppe geht es hoch zum Essbereich, der irgendwie an Omas Dachboden erinnert. Die jamaikanischen Gerichte – „Jerk Chicken", verschiedene Currys oder „Fried Plaintains" – sind authentisch und einfach lecker und die Portionen groß und günstig. Allein auf Bier und Wein muss hier verzichtet werden. Gut zu wissen: nur Barzahlung möglich!

803 Washington Avenue, 12 p.m. – 10:30 p.m.

Grand Army Plaza SEHEN

Am Vorplatz zum Haupteingang des Prospect Parks ragt der „Soldiers and Sailors"-Triumphbogen 24 Meter hoch in die Luft. Der Bogen erinnert an die Union Army, die im amerikanischen Bürgerkrieg für die Einheit und gegen die Nord-Süd-Spaltung des Landes kämpfte. Jeden Samstag von 8 a.m. – 3 p.m. findet hier ganzjährig ein Wochenmarkt mit Produkten aus der Region statt. Jeden dritten Sonntag im Monat fahren ab 11 a.m. mehrere Food Trucks auf und bieten bis zum frühen Abend verschiedenste Gerichte und ausgefallene Snacks.

↑ **Chuko Ramen**
Für Fans der japanischen Nudelsuppe

↑ **Prospect Park**
Beliebte Laufstrecke

Tom's ESSEN

Ein Muss für Frühstücksliebhaber! Der im Jahr 1936 eröffnete typische US-Diner ist aus Prospect Heights nicht wegzudenken und bei Einheimischen wie Besuchern gleichermaßen beliebt. Die Pancakes kommen in Türmen, der „bottomless coffee" wird per Glaskanne nachgefüllt und die Pommes dürfen in den Milchshake gedippt werden. Keine Scheu vor der Schlange am Wochenende! Tom verkürzt die Wartezeit durch kostenlosen Kaffee, Obst und Cookies 'n' Cream – ja, Kekse mit Sahne!

782 Washington Avenue, Mo. – Fr. 7 a.m. – 4 p.m.
Sa. 7 a.m. – 9 p.m., So. 8 a.m. – 9 p.m.
tomsbrooklyn.com

↑ **Olde Brooklyn Bagel Shoppe**
Große Auswahl an Bagels und Belägen

Wer vom Eingang des Prospect Parks aus durch den Triumphbogen hindurch schaut, entdeckt, perfekt von diesem eingerahmt, das Empire State Building in Manhattan.

Olde Brooklyn Bagel Shoppe CAFÉ/ESSEN

Die vielleicht besten Bagels der „Hood"! Ob klassisch mit Frischkäse, mit Bacon & Ei oder mit Heringssalat – die Vielfalt der Bagel-Varianten ist enorm. Auch Alternativen wie Gebäck, Salate und Wraps stehen auf der Karte dieses hübschen Delis. Der OBBS ist perfekt für ein schnelles Frühstück oder den Snack zwischendurch. Die wenigen Sitzplätze sind direkt am Fenster und geben freie Sicht auf das Treiben der belebten Vanderbilt Avenue.

645 Vanderbilt Avenue, So. –Di. 8 a.m. – 5 p.m.
Mi. – Sa. 8 a.m. – 6 p.m.
oldebrooklynbagelshoppe.com

→ **Brooklyn Brainery**
Kleiner Shop im Klassenzimmer

Puerto Viejo ESSEN

Wer lateinamerikanische Küche jenseits der vielen Fast-Food-Optionen probieren möchte, ist in diesem „Dominican Bistro" genau richtig. Hier stehen Empanadas, Yuca Pommes, Ochsenschwanz und vor allem diverse Fischgerichte auf der Karte. Für Gemütlichkeit sorgen Kerzenlicht und die moderne Einrichtung aus Holz, für gute Stimmung die hausgemachte Sangria.

563 Grand Avenue, Mo. – Sa. 9 a.m. – 11p.m.
puertoviejony.com

Sit & Wonder CAFÉ

Sit & Wonder hält, was ein guter Coffee Shop verspricht: Coffee-to-stay oder -to-go, eine Auswahl an Muffins, Doughnuts und Sandwiches, kleine Sitzgruppen drinnen und draußen im Hof, offenes Wi-Fi, dezente Hintergrundmusik und gut

aussehende Baristas. Ausgeschenkt wird hier übrigens die beliebte Bio-Marke „Stumptown Coffee" aus Oregon. Eine Kostprobe besonderer Sorten gibt es unter der Woche immer um 1:30 p.m.

688 Washington Avenue, Mo. – Fr. 7 a.m. – 7 p.m.
Sa. & So. 8 a.m. – 7 p.m., sitandwonder.org

↑ **The Way Station**
Bar im Stil von „Dr. Who"

The Way Station BAR
Kleine Bar mit großem Programm: In der Way Station gibt es fast täglich Live-Musik. Welche Bands und Sänger auftreten, meist mehrere an einem Abend, zeigt die Webseite weit im Voraus. Ausgestattet ist der Laden ganz im Zeichen der britischen Science Fiction-Serie „Dr. Who". An Sonn- und Montagen werden Sci-Fi oder Fantasy-Filme gezeigt und „Nerd-Karaoke" oder Fantasy-Spiele angeboten. Für Fans ein absolutes Muss! Happy Hour: 4 p.m. – 8 p.m.

683 Washington Avenue, Mo. – Do. 4 p.m. – 2 a.m.
Fr. 4 p.m. – 4 a.m., Sa. 3 p.m. – 4 a.m., So. 3 p.m. – 2 a.m.
waystationbk.blogspot.com

Unnameable Books KAUFEN
Dieser winzige Buchladen ist in seinem Chaos absolut liebenswert. Inhaber Adam Tobin hilft, sich zwischen neuen und gebrauchten Büchern zurechtzufinden und spricht noch lieber Empfehlungen für die nächste Lektüre aus. Sorgen um die Online-Konkurrenz macht er sich nicht wirklich. Seine Auswahl an Poesie, Philosophie und vor allem „schrägen" Büchern ist einmalig. Abends finden regelmäßig Lesungen statt.

600 Vanderbilt Avenue, 11 a.m. – 11 p.m.
unnameablebooks.blogspot.com

← **Cheryl's Global Soul**
Unschlagbare Brunch-Gerichte

↑ **Unnameable Books**
Liebenswertes Chaos trifft auf „schräge" Bücher

Weather Up BAR

Starke Drinks in schicken Gläsern, Barkeeper mit Schlips und eine stilvolle Einrichtung: Das Weather Up ist eine Cocktailbar mit Klasse! Die wenigen Plätze und das schummrige Licht erinnern an eine der ehemaligen „Speak Easy"-Bars, in denen während der amerikanischen Prohibitionszeit heimlich Alkohol ausgeschenkt wurde. Entsprechend unscheinbar ist übrigens auch der Eingang zum Weather Up. Aber pssst – nicht weitersagen!

589 Vanderbilt Avenue, ab 5:30 p.m., Ende offen.
weatherupnyc.com

Woodwork BAR

Fußball als Randsportart? Nicht in dieser Bar! Neben American Football, Basketball und Co. läuft hier vor allem Soccer auf den vielen Bildschirmen. Samstagmorgens ab 8 a.m. werden die europäischen Ligen live übertragen – welche Spiele, verrät die Webseite. Ein nettes Schwätzchen mit dem Personal erhöht die Chance auf einen Senderwechsel, sollte der eigene Verein nicht angesetzt sein. An Champions League Tagen und bei internationalen Turnieren am besten zeitig dort sein – es wird voll!

583 Underhille Avenue, Mo. – Fr. 2 p.m. – 2 a.m.
Sa. 8 a.m. – 4 a.m., So. 12 p.m. – 4 a.m., woodworkbk.com

↑ **Weather Up**
Speak Easy Bar im 20er Jahre Stil

Lefferts Pl
Franklin Av
M
Pacific St
Atlantic Av
Carlton Av
Vanderbilt Av
Dean St
Bergen St
Underhill Av
Washington Av
Grand Av
St Marks Av
Classon Av
Prospect Pl
7 Av
Park Pl
Sterling Pl
Grand Army Plaza
Park Pl
St Johns Pl
Lincoln Pl
Lincoln Pl
Eastern Parkway
Brooklyn Museum
Eastern Pkwy
Franklin
Av
Botanic Garden
PROSPECT PARK
Union St
President St
Franklin Ave
Flatbush Ave
Carroll St
Crown St
Montgomery St
Sullivan Pl
1 Ample Hills Creamery
2 Bearded Lady
3 Brooklyn Botanic Garden
4 Brooklyn Museum
5 Cheryl's Global Soul
6 Grand Army Plaza
7 Tom's
8 Olde Brooklyn Bagel Shoppe
9 Puerto Viejo
10 Sit & Wonder
11 The Islands
12 The Way Station
13 Unnameable Books
14 Weather Up
15 Woodwork
M Metrostation

BROOKLYN
BRAINERY
190 UNDERHILL

Jen Messier & Jonathan Soma

BROOKLYN BRAINERY

„Anything and Everything" – Die Brooklyn brainery bietet Kurse zu allen nur denkbaren Themen. Das Besondere: Jeder, der etwas gut kann oder weiß, darf hier lehren. Für wenig Geld gibt es Crashkurse der besonderen Art: „Marshmallows Selbermachen", „Poker für Einsteiger" oder „Die Geschichte des Gins". Jen Messier und Jonathan Soma, kurz Jen & Soma, sind die zwei Köpfe hinter der Brooklyn Brainery. Kennengelernt haben sie sich 2010 bei einem Schweiß-Kurs. Beide gerade fertig mit dem College, beide voller Wissensdrang. Sie teilten die Leidenschaft, ihr Können mit Anderen zu teilen. Nicht zuletzt durch ihren Frust über das teure Kursangebot in New York, schufen sie schließlich ihr eigenes Klassenzimmer.

Alles begann in einem karg eingerichteten Atelier im Viertel Gowanus. Sie präsentierten Themen, die sie drauf hatten oder sich selbst aneigneten. „Angewandte Meteorologie", „Zeichensprache" oder einfach „Fleisch" standen auf dem ersten Lehrplan. Kurse sollten lehrreich und günstig sein, vor allem aber unterhaltsam und bloß nicht zu gewöhnlich. Jeder mit einer originellen Idee und der Leidenschaft, sein Wissen zu teilen, war willkommen. Jen & Soma wollten kein von Geld getriebenes Programm, die Begeisterung sollte im Vordergrund stehen, nicht das Honorar.

Dass sich die Brooklyn Brainery zu einem profitablen Business entwickelt hat, von dem beide leben können, war damals weder der Plan, noch hätten sie es geglaubt. Das heutige Studio in Prospect Heights, das die Gemütlichkeit eines Ikea-Kinderzimmers ausstrahlt, bietet reichlich Platz zum Präsentieren und Werkeln – inklusive Küche und Garten. Die Teilnehmer zahlen je nach Kursinhalt zwischen fünf und 75 Dollar, Vortragende erhalten einen Obolus oder kommen ehrenamtlich. Im Vordergrund steht immer noch das Lehren aus Leidenschaft. Auch bei der Auswahl der Themen halten Jen & Soma bis heute am ursprünglichen Credo fest: je ausgefallener, desto besser! Ihren Teilnehmern wollen sie vor allem eine gute Zeit bieten – keine Vorbereitung, keine Hausaufgaben, bloß keine zusätzliche Verpflichtung im Alltag.

Kurse geben sie beide immer noch regelmäßig. Während Soma parallel freiberuflichen Tätigkeiten nachgeht, arbeitet Jen in Vollzeit für die Brooklyn Brainery. Eine Rückkehr in die „normale Arbeitswelt" kann sie sich nicht vorstellen. Ihre vorige Position im Fundraising des Metropolitan Museum of Art – für manch anderen ein Traumjob – war interessant, aber Dinge waren nur langsam zu bewegen. In der Brooklyn Brainery kann sie Ideen direkt umsetzen. Wohin sie sich weiterentwickeln wird, wissen Jen & Soma nicht. Da ist so vieles möglich. „Anything and Everything".

brooklynbrainery.com

Park Slope

Mit seiner Nähe zum Prospect Park und der einfachen Anbindung nach Manhattan ist Park Slope eine der derzeit am meisten gefragten Wohngegenden in Brooklyn. Die Architektur erinnert daran, dass der Stadtteil schon im 19. Jahrhundert Heimat der Besserverdienenden war: Solide Brownstone-Häuser mischen sich mit prunkvollen Villen. Heute wohnen in Park Slope vor allem junge Familien, was die Dichte von Kinderwägen, Spielplätzen und kinderfreundlichen Einrichtungen erklärt. Dass hier ein besonders hoher Gemeinschaftssinn vorherrscht, zeigen diverse nachbarschaftliche Initiativen, zum Beispiel häufige Straßenfeste, die „Block Parties", oder die vielen gemeinsam gepflegten Gärten. Das Viertel bietet zahlreiche Möglichkeiten zum Bummeln, Essen und Ausgehen. Insbesondere auf der 5th und 7th Avenue gibt es individuelle Boutiquen und nette Cafés sowie vielseitige Restaurants und Bars für ein abwechslungsreiches Abendprogramm. Der angrenzende Prospect Park wird im Sommer wie im Winter zur Spielwiese für Sportler, Picknicker und Besucher des Zoos, des Karussells und der Eislaufbahn. Stadtflair und Natur – ein Tag in Park Slope könnte abwechslungsreicher nicht sein.

M Subway Linien 2, 3, 4, 5, B, D, N, Q und R bis Haltestelle Atlantic Avenue-Barclays Center. Linien B und Q bis Haltestelle 7th Avenue. Linie R bis Union Street. Linien F, G und R bis Haltestelle 4th Avenue – 9th Street.

ONE WAY
8 AV

SCHOOL BUS
2449

Banhmigos ESSEN

Die vietnamesischen Sandwich-Klassiker sind ein schneller und guter Snack auf die Hand. Ob Rindfleisch, Hühnchen oder Tofu – mit dem hausgemachten Baguette und den würzigen Soßen schmecken alle Varianten einfach super.

178 Lincoln Place, Mo. – So. 11:30 a.m. – 9:30 p.m.
banhmigos.com

Barclays Center SEHEN

Fertig gestellt im Jahr 2013, ist die Barclays Center ein noch recht junger Bau. Seitdem ist sie nicht nur das Zuhause der „Nets", Brooklyns NBA Team, sondern lädt ein zu Konzerten und anderen Live-Shows. Das an ein Vogelnest erinnernde und durchaus umstrittene Design lohnt in jedem Fall einen Abstecher – auch ohne Tickets.

620 Atlantic Avenue
barclayscenter.com

↑ **Barclays Center**
Heimat der Brooklyn Nets

Beacon's Closet KAUFEN

Von den insgesamt sechs Secondhand-Läden im Umkreis von zwei Häuserblöcken ist dieser der Beste. Die sehr gut organisierte Kette – weitere Filialen in Greenpoint

und Bushwick – führt Vintage-Klamotten für Männer und Frauen. Täglich kommt neue Ware hinzu (Annahmestelle vor Ort) und die Regale werden laufend neu sortiert – also nicht lange zögern und am besten direkt zuschlagen!

92 5th Avenue, Mo. – Fr. 12 p.m. – 9 p.m.
Sa. & So. 11 a.m. – 8 p.m, beaconscloset.com

Brooklyn Superhero Supply Company KAUFEN

In diesem einmaligen Laden gibt es alles, was Superhelden brauchen. Neben Umhängen und Masken stehen Wahrheitstropfen, Schwebe-Paste und Zeitreise-Gel im Regal. Unbedingt vorbeischauen zum Stöbern, Staunen oder noch besser: zum Kaufen! Alle Erlöse gehen an die Initiative 826NYC, die sechs bis 18-jährige Teenager mit Talent und Begeisterung fürs Schreiben fördert. Sei ein Superheld und tue was Gutes!

372 5th Avenue, 11 a.m. – 5.p.m.
superherosupplies.com

↑ **Cousin John's**
Schnelles Frühstück und Coffee to-go

Cousin John's CAFÉ

Das Geheimnis dieses Cafés ist das Frühstück. Wer keinen Nerv auf Wartezeit und anderes Tamtam der gerade angesagten Brunch-Lokale hat, auf das amerikanische Frühstück aber nicht verzichten möchte, ist hier genau richtig. Zwar sind Angebot wie Ausstattung recht einfach gehalten, die Eier, Waffeln und Pancakes aber groß portioniert und günstig. Außerdem unschlagbar: Zu jedem Gericht gibt es ein hausgemachtes Croissant dazu.

70 7th Avenue, So. – Do. 7 a.m. – 9 p.m.
Fr. & Sa. 7 a.m. – 11 p.m.
cousinjohnsbakery.com

↓ **Dinosaur Bar-B-Que**
Pulled Pork Sandwich

Dinosaur Bar-B-Que ESSEN

Erfüllt alle Erwartungen an ein amerikanisches BBQ! Die großzügigen Portionen – z.B. ein Haufen Rippchen oder „Pulled Pork" – kommen simpel auf einem Tablett. Dazu gibt es ehrliche Beilagen wie Bohnen, Maiskolben oder Kartoffelpüree und eine Auswahl an hausgemachten Soßen. Trotz der 180 Plätze ist der Laden immer voll. Südstaaten-Stimmung kommt vollends auf, wenn donnerstags und am Wochenende ab 9:30 p.m. Live-Bands spielen.

604 Union Street, Mo. – Do. 11:30 a.m. – 11 p.m.
Fr. & Sa. 11:30 a.m. – 12 a.m., So. 11:30 a.m. – 10 p.m.
dinosaurbarbque.com

Der Prospect Park wurde von Frederick Law Olmsted und Calvert Vaux geplant, den gleichen Architekten, die auch den Central Park geplant haben, und er umfasst immerhin zwei Drittel der Fläche seines großen Bruders in Manhattan.

Flirt KAUFEN

Flirt ist einer der vielen individuellen Läden in Brooklyn, die angesagte Kleidung und Accessoires von unbekannten Designern verkaufen. Die Auswahl stellen die drei Inhaberinnen jede Saison selbst zusammen. Im Jahr 2000 eröffneten Patti, Seryn und Heather das Geschäft, um ihre jeweils ursprüngliche Leidenschaft zu finanzieren: Tanzen, Singen und Schauspielern.

93 5th Avenue, 11:30 a.m. – 7:30 p.m.
flirt-brooklyn.com

↑ **Park Slope Farmers Market**
Im Angebot: frische Produkte aus der Gegend

↑ **Park Slope Farmers Market**
Flanieren über den Markt am Sonntag

BEER

Ghenet Brooklyn ESSEN

In diesem äthiopischen Restaurant bestellen Gäste nicht jeder für sich, sondern gemeinsam. Die Fleisch-, Fisch- und Gemüsegerichte werden zusammen auf einer riesigen Platte angerichtet und mit den landestypischen Sauerteig-Pfannkuchen serviert. Das äthiopische Bier dient bei den teils scharfen Gerichten als wunderbarer Durstlöscher.

348 Douglass Street
Mo. 5 p.m. – 10 p.m.
Di. – Do. 5 p.m. – 10:30 p.m.
Sa. 12 p.m. – 11 p.m.
So. 12 p.m. – 10:30 p.m.

Kos Kaffe CAFÉ

Dieses kleine Café ist vor allem bei Freelancern sehr beliebt. Manchmal wirkt der Raum eher wie ein Apple-Store als ein Coffee Shop. Aber keine Sorge: Die Plätze für Laptops sind begrenzt. Im Vordergrund steht schließlich der Genuss. Während Besitzer Allon selbst den Kaffee röstet, ist Ehefrau Sarah als passionierte Bäckerin und Köchin für das Essen zuständig. Tipp für alle Nicht-Kaffeetrinker: Unbedingt den hauseigenen Chai Latte probieren!

251 5th Avenue, Mo. – Fr. 7 a.m. – 7 p.m.
Sa. & So. 8 a.m. – 7 p.m, koskaffe.com

↓ **Talde**
Dale Talde ist Namensgeber und Chefkoch eines der bekanntesten Restaurants in ganz Brooklyn

→ **Gorilla Coffee**
Das nette Eckcafé lädt zum Verweilen ein

Old Stone House SEHEN
Hier wurde Geschichte geschrieben. Die Steinhütte erinnert an Brooklyn in Zeiten des amerikanischen Unabhängigkeitskrieges. In einer überschaubaren Ausstellung erfahren Besucher Wissenswertes insbesondere über das historische Ereignis „Battle of Brooklyn“. Haus und Garten öffnen ihre Tore zudem für unterschiedliche, meist von Nachbarn initiierte Anlässe, wie Vorträge, Konzerte oder Backen und Kochen im zugehörigen Steinofen.

336 3rd Street, Sa. & So. 11 a.m. – 4 p.m.
theoldstonehouse.org

Pork Slope BAR
Wunderbar für Drinks & Dinner! Die einfache Bar bietet Finger Food auf hohem Niveau. Unter Schirmherrschaft des Gourmet-Kochs Dale Talde (→Talde) werden hier einfache Gerichte wie Cheeseburger oder Chicken Wings zur wahren Gaumenfreude. Zum Nachspülen gibt es ein breites Angebot amerikanischer Whiskeys. Billardtisch vorhanden!

247 5th Avenue, Mo. – Fr. 5 p.m. – 4 a.m.
Sa. & So. 11 a.m. – 4 a.m., porkslopebrooklyn.com

↑ **Talde**
Korean Fried Chicken

Russo's Mozzarella and Pasta KAUFEN
Für den italienischen Abend zu Hause lohnt sich ein Einkauf bei Russo's. Die Vielfalt der hausgemachten Pastasorten und Soßen ist überwältigend (Zitronenhuhn Ravioli, Gorgonzola Tortellini etc.). Dazu gibt es eine kleine Auswahl an Käse und Aufschnitt. Spezialität des Hauses ist der selbstgemachte Mozzarella-Käse. Unbeschreiblich gut sind auch Russo's frisch zubereitete Paninis, die geradezu nach Italien schmecken.

363 7th Avenue, Mo. – Sa. 10 a.m. – 7 p.m.
So. 10 a.m. – 6 p.m.
russosmozzarellaandpasta.com

Talde ESSEN
Durch zahlreiche Auszeichnungen der New Yorker Gastronomie gehört Talde zu den bekanntesten Restaurants in Brooklyn. Die Preise sind überdurchschnittlich,

Ein Spaziergang, beginnend am Grand Army Plaza entlang des Parks, führt zunächst vorbei an den schicken Herrenhäusern einst erfolgreicher Industriellen-Familien. Nach einem Abstecher über die Straße Montgomery Place mit durchaus imposanten Villen zeigt die Carroll Street ihre vielen schönen Brownstones, die malerischen Reihenhäuser, die längst zu einem der Wahrzeichen Brooklyns geworden sind. An der 5th Avenue angekommen, steht auf Höhe der 3rd Street das → Old Stone House, wo Besucher mehr über die Entwicklung und Geschichte von Park Slope erfahren.

entsprechend der hohen Qualität der Gerichte. Inhaber und Chefkoch Dale Talde, Amerikaner mit philippinischen Wurzeln, bietet eine kreative amerikanisch-asiatische Speise- und auch Getränkekarte an. Besonders beliebt sind die sechs Sitzplätze an der „Chef-Bar", an der Gäste freie Sicht auf das Spektakel in der Küche haben.

369 7th Avenue, Mo. – Mi. 5 p.m. – 11 p.m.
Do. & Fr. 5 p.m. – 12 a.m., Sa. 11 a.m. – 12 a.m.
So. 11 a.m. – 11 p.m., taldebrooklyn.com

The Royal Palms Shuffle Board Club MACHEN
Shuffle Board ist das neue Bowling – zumindest in Park Slope. Die zehn Bahnen für das bekannte Stockspiel werden im Stundentakt vermietet ($40/Stunde). Bei der Überbrückung der Wartezeit helfen die hauseigene Bar, Live-Musik sowie wechselnde Food Trucks in der angrenzenden Garage.

514 Union Street, Di. & Mi. 6 p.m. – 12 a.m.
Do. & Fr. 6 p.m. – 2 a.m., Sa. 12 p.m. – 2 a.m.
So. 12 p.m. – 12 a.m., royalpalmsshuffle.com

Union Hall BAR
Mit den gemütlichen Sesseln und einem Kamin versprüht diese großräumige Bar das Flair eines Wohnzimmers. Ein wahrer Blickfang sind die zwei integrierten Boccia-Bahnen im hinteren Teil. Wer nach ein bis zwei Runden Kugeln-Schieben immer noch Energie hat, findet im Keller Tanzfläche oder Live-Musik. Montags Karaoke!

702 Union Street, Mo. – Fr. 4 p.m. – 4 a.m.
Sa. & So. 1 p.m. – 4 a.m., unionhallny.com

↑ **The Royal Palms Shuffle Board Club**
Trend-Kneipensport Shuffle Board

Atlantic Av – Barclays Ctr M
Atlantic Av
Dean St
Bergen St
St Marks Pl
Bergen St M
3rd Av
Baltic St
Warren St
Butler St
Prospect Pl
Douglass St
Park Pl
Flatbush Av
Carlton Av
Degraw St
Sterling Pl
Sackett St
St Johns Pl
Union St M
7 Av M
Lincoln Pl
6th Av
Berkley Pl
4th Ave
7th Av
Grand Army Plaza M
Carroll St
Union St
1st St
President St
8th Av
2nd St
3rd St
5th Av
4th St
5th St
6th Av
6th St
7th St
8th St
9th St
10th St
11th St
12th St
13th St
7 Av M
Prospect Park West
PROSPECT PARK
1 Banhmigos
2 Barclays Center
3 Beacon's Closet
4 Brooklyn Superhero Supply Co.
5 Cousin John's
6 Dinosaur Bar-B-Que
7 Flirt
8 Ghenet Brooklyn
9 Kos Kaffe Roasting House
10 Old Stone House
11 Pork Slope
12 Russo's Mozzarella and Pasta
13 Talde
14 The Royal Palms Shuffle Board Club
15 Union Hall
Architektour
M Metrostation

John Chamberlain Harker

BRICK OVEN BROOKLYN

John Chamberlain oder einfach nur „Jace“ lebt seit 2008 in Park Slope. Im eigentlichen Leben im Verlagswesen tätig, hat er in seiner Freizeit ein recht spezielles Hobby: Backen unter freiem Himmel. Im Old Stone House in Park Slope heizt Jace zusammen mit seiner Frau Yasmin regelmäßig den hauseigenen Steinofen an. Mit ihrer Initiative „Brick Oven Brooklyn" laden die beiden einmal im Monat zum gemeinsamen Backen, Kochen und Essen im Freien ein. Jeder bringt mit, worauf er Lust hat: Teig für Brot und Kekse oder Zutaten für ofentaugliche Gerichte wie Pizza, Auflauf oder Braten.

Inspiriert hatte das Paar eine Frankreichreise im Jahr 2012. Die französischen Backwaren waren unvergleichlich mit allem, was sie von zu Hause kannten. Mehrere Tage verbrachten sie in einem kleinen Dorf in der Bretagne, in dem ein alter Steinofen der zentrale Treffpunkt für Nachbarn war. Familien kamen hier regelmäßig zum gemeinsamen Essen zusammen. Französische Backkunst, Geselligkeit und Tradition – diese Vision nahmen Yasmin und Jace mit nach Hause. Die Idee von Brick Oven Brooklyn folgte. Der Steinofen des Old Stone House, nur wenige Minuten von ihrem Haus entfernt, war perfekt, und die Erlaubnis, diesen entsprechend zu nutzen, bekamen sie unmittelbar. Schnell fanden sie Gleichgesinnte, die ihre Leidenschaft für das Backen teilten – zunächst durch Weitersagen, später durch soziale Netzwerke im Internet. Heute ist die Gruppe in Park Slope fest etabliert. Jeden Monat kommen neue Hobby-Bäcker hinzu. Aber es geht um mehr als nur darum: „Unsere Bäcker kommen wegen des Ofens und bleiben wegen der Leute“, sagt Jace. Die meiste Zeit verbringen sie schließlich mit Warten auf das Essen – da bleibt reichlich Raum zum Plaudern und neue-Leute-kennenlernen, manchmal sogar Nachbarn, die man bisher nicht kannte. Jace freut es besonders, wenn Passanten interessiert stehen bleiben und er Fragen beantworten kann. Die Städter sind oft fasziniert. Manche Kinder hier haben noch nie zuvor ein richtiges Feuer gesehen. „Ich mag den Aufklärungscharakter. Unsere Treffen erinnern an alte Zeiten, als nicht jede Familie einen eigenen Ofen hatte und man zentral zum gemeinsamen Backen zusammenkam.“

Brooklyn lieben Jace und seine Frau vor allem für den „Sense of Community“, den Gemeinschaftssinn der Menschen hier. Ihre Gruppe ist nur eine von zahlreichen Initiativen, bei denen Nachbarn zusammen Dinge tun oder bewirken – ganz ohne finanzielle Motivation. Mit „Brick Oven Brooklyn“ leistet das Paar seinen eigenen Beitrag, die Gemeinschaft zu stärken. Willkommen ist jeder. Termine für den nächsten Ofen-Tag gibt es auf:

meetup.com/brickovenbrooklyn

Ditmas Park

Wie vielseitig Brooklyn ist, zeigt ein Abstecher nach Ditmas Park. Die Nachbarschaft gehört offiziell zum Distrikt Flatbush und ist mit gerade mal zehn Häuserblocks eine reine Wohngegend. Allerdings ist sie alles andere als gewöhnlich: Zwischen viktorianischen Villen mit gestutztem Rasen, Schaukelstuhl auf der Veranda und „beware of the dog“-Schild ist schnell vergessen, dass man in New York ist. Das Viertel bleibt bemerkenswert unbemerkt. Touristen sucht man hier vergeblich. Wolkenkratzer und Brownstones scheinen weit weg zu sein. Unter den circa 200 Häusern, die Anfang 1900 kollektiv gebaut wurden, ist keines wie das andere. Trotz ihrer verschiedenen Farben und Besonderheiten geben sie ein einheitliches Bild ab – gepflegt, wohlhabend, friedlich. Kurzum: heile Welt. Einschüchternd oder gar spießig wirkt die Gegend dennoch nicht, was auch an der Vielseitigkeit der Bewohner liegen mag. Zugezogene wohnen hier neben den „Brooklynites“, deren Familien schon immer in Ditmas Park leben. Unter diese bunte Mischung gesellen sich Menschen aus verschiedensten Herkunftsländern und der unterschiedlichsten Generationen. Typisch Brooklyn eben!

M Subway-Linie Q bis zu den Haltestellen Church Avenue, Beverley Road, Cortelyou Road oder Newkirk Plaza (unter der Woche tagsüber auch Linie B).

Milk+Honey
BROADWAY
BROOKLYN
A
MILK+HONEY
SUPPORTS
LOCAL ARTISTS...
BY HIRING THEM
TO MAKE YOU
COFFEE.
♡-MAX

Bar Chord BAR

Herzen von Live-Musik-Fans schlagen hier höher. Die Bar mit der auffälligen Kupfertheke hat Künstler aus „Brooklyn and beyond" im Programm: Jazz Jam, Singer-Songwriter-Auftritt oder Reggae-Truppe – hier ist für jeden etwas dabei. Und das täglich ab 9 p.m. Ansonsten gibt es immer noch die hauseigene Juke-Box. Happy Hour: 4 p.m. – 7 p.m.

1008 Cortelyou Road, Mo. – Do. 4 p.m. – 2 a.m.
Fr. – Sa. 2 p.m. – 4 a.m., So. 2 p.m. – 2 a.m.
barchordnyc.com

WISSEN ZUM GLÄNZEN

Ditmas Park gehört offiziell zum Bezirk Flatbush, der ab den 70er Jahren New Yorks Hip-Hop-Kultur entscheidend prägte. Hier wuchsen Busta Rhymes, Foxy Brown und Talib Kweli auf. So kam es, dass die Hamburger Musiker Jan Delay und Samy Deluxe ihrem Musiklabel im Viertel Eimsbüttel – in Anlehnung an Brooklyns Hip Hop-Schmiede – den Namen „Eimsbush" gaben.

↑ **Brooklyn ARTery**
Originelle Kleinigkeiten „made in Brooklyn"

Brooklyn ARTery KAUFEN

Originelle Kleinigkeiten „made in Brooklyn" gibt es hier in Form von Taschen, Postkarten, Kosmetik, Schmuck und anderen Accessoires. Die Produkte kommen weitgehend von lokalen Künstlern. Gut für Mitbringsel oder das ein oder andere eigene Brooklyn-Andenken. An Wochenenden werden außerdem Kurse in verschiedenen Kreativdisziplinen (Origami, Zaubern, Zeichnen etc.) angeboten. Und an Weihnachten gibt es im Garten den einzigen Weihnachtsbaumverkauf weit und breit.

1021 Cortelyou Road, Mi. – Sa. 11 a.m. – 8 p.m.
Di. & So. 11 a.m. – 7 p.m., brooklynartery.com

↓ **Quatra Café**
Selbstgebackenes und Aufgebrühtes

↑ **LARK Cafe**
Besonders bei jungen Eltern beliebt

Cortelyou Greenmarket KAUFEN

Mitten auf der belebten Cortelyou Road ist das ganze Jahr über jeden Sonntag Marktzeit. Die ansässigen Locals füllen ihre Jutebeutel mit frischen Produkten aus der Region, darunter saisonales Obst und Gemüse sowie Fleisch, Fisch, Eier und Milchprodukte. Zum Naschen vor Ort gibt es Süßes und Backwaren. Der Markt ist einer von über 50 regelmäßig stattfindenden Wochenmärkten in New York, darunter allein 21 in Brooklyn. Diese New Yorker Initiative gibt es seit den 70er Jahren mit dem Zweck, ansässigen Bauern einen Marktplatz und Städtern frische Produkte zu ermöglichen. Besonderer Wert wird auf Nachhaltigkeit gelegt: Mangels eines offiziellen Biomüll-Systems in den meisten Bezirken dienen die Märkte oft auch als Annahmestellen für Kompost.

Cortelyou Road zwischen Argyle und Rugby
So. 8 a.m. – 3 p.m.

Kings Theatre SEHEN

Die prunkvolle Fassade des Kings Theater sticht auf der chaotischen Flatbush Avenue deutlich hervor. Schon seit 1929 hat das Theater hier seinen Platz. Nach der Schließung in den 70er Jahren stand es fast 40 Jahre leer und wurde erst 2015 wiedereröffnet. Damit ist Brooklyn um einen kulturellen Schauplatz reicher. Ein Blick in den mehr als 3.000 Personen fassenden Saal lohnt sich: Das Interieur wurde originalgetreu im Stil der Goldenen 20er restauriert und überwältigt mit Samt, Holz und vor allem Gold. Täglich gibt es hier Theatervorstellungen, Konzerte, Musicals und alles, was das Showherz begehrt.

1027 Flatbush Avenue, Kartenvorverkauf:
Mo. – Sa. 12 p.m. – 5:30 p.m. sowie immer 60 Minuten vor Beginn der Vorstellung., kingstheatre.com

La Nueva Union Bakery KAUFEN

Schon von weitem lockt der Geruch dieser mexikanischen Bäckerei. Die Auswahl an den fast ausschließlich süßen Backwaren ist gigantisch groß, die Stücke super günstig. Kenner finden mittel- und südamerikanische Spezialitäten wie Tres Leches-Kuchen und Kokosbrot. Weitere regionale Produkte, Früchte und Getränke ergänzen das mexikanische Angebot.

1114 Cortelyou Road, 8:30 a.m. – 9:30 p.m.

LARK Cafe CAFÉ

Ein Coffee Shop für Klein und Groß! Hier warten ausgezeichneter Kaffee und frische Bagels und Doughnuts von Brooklyns besten Bäckereien (z.B. → Ovenly, → Dough) darauf, verputzt zu werden. Das Lark ist Treffpunkt insbesondere für junge Eltern. Im angrenzenden Spielraum gibt es täglich Programm – von der Singstunde über Kids Yoga bis zum Science Workshop ist für den Hipster-Nachwuchs alles dabei.

1007 Church Avenue, Mo. – Fr. 7 a.m. – 7 p.m.
Sa. & So. 8 a.m. – 7 p.m., larkcafe.com

Milk & Honey CAFÉ/SESSEN

Holzvertäfelt und lichtdurchflutet. Das Milk & Honey lädt ein, länger zu bleiben als nur für einen schnellen Kaffee. Neben exzellentem Kaffee bietet die Karte hausgemachte Backwaren und Frühstücksoptionen ausgefallener Art wie zum Beispiel die Egyptian Poached Eggs, inspiriert von Besitzer Max Habib. Jedes Einrichtungsdetail hier ist handgemacht, daher Augen auf und Kopf in den Nacken: Die Decken- und Lichtkonstruktion beeindruckt nicht nur Designerherzen.

1119 Newkirk Avenue, 7 a.m. – 9 p.m.
milkandhoneycafeny.com

FORD

ARCHITEKTOUR

Besonders schön ist ein Spaziergang vom Subway-Stop Church Avenue (Q) Richtung Westen entlang der Church Avenue. Wer links auf die Marlborough Road abbiegt, gelangt zur Albemarle Road, auf der die vielleicht prunkvollsten Villen stehen. Die Westminster Road gen Süden – entlang weiterer architektonischer Schmuckstücke – trifft nach einigen Häuserblöcken auf die Cortelyou Road, das Herz von Ditmas Park, wo zahlreiche Cafés und Restaurants warten. Wer noch nicht genug vom Kolonialstil-Flair hat, macht einen Abstecher zu den kleinen Seitenstraßen Albemarle Terrace und Kenmore Terrace. Spätestens hier werden Besucher in eine andere Stadt und Zeit versetzt.

Mimi's Hummus ESSEN

Diese „Snack Taverna" hat gerade mal acht Tische und ist trotz oder gerade wegen des engen Raumes immer gut besucht. In der offenen Küche können Gäste die Zubereitung der nahöstlichen Gerichte verfolgen. Neben fantastischem Hummus (unbedingt die Masabache Version mit Zitronen-Knoblauch-Dressing probieren!) gibt es Spezialitäten wie Taboulé, Shakshuka Eggs oder Chicken Couscous – alles aus lokal bezogen Zutaten und inspiriert durch die gebürtige Israelin und Besitzerin Mimi Kitani.

1209 Cortelyou Road, 9 a.m. – 10:30 p.m.
Sa. & So. Brunch 11 a.m. – 4 p.m., mimishummus.com

Ox Cart Tavern ESSEN

Die Selbsternennung zur „Vintage American Tavern" könnte nicht treffender sein: urige Einrichtung, einfache Bierauswahl und amerikanische Küche von frittierten sauren Gurken als Vorspeise bis zum Marshmallow-Dessert. Die Empfehlung hier lautet aber ganz klar: Burger! Mit oder ohne Ochsenfleisch – die Burger enttäuschen nicht. Wer zwischen 5 und 6 p.m. oder 10 und 11 p.m. kommt, trinkt außerdem zum Happy Hour-Preis.

1301 Newkirk Avenue, Mo. – Fr. 5 p.m. – 12 a.m.
Sa. 11 a.m. – 12 a.m. So. 11 a.m. – 11 p.m.
oxcarttavern.com

The Castello Plan BAR/ESSEN

Eindeutig ein Hybrid! Abends lädt die Bar bei Kerzenschein zu ausgezeichneten Cocktails und Kleinigkeiten auf der Speisekarte ein. Die „Small Plates" lassen sich tapas-artig wunderbar teilen. Am Wochenende bietet der Laden außerdem eine beliebte Brunch-Option.

1213 Cortelyou Road, ab 4 p.m.
Sa. & So. auch Brunch von 11 a.m. – 4 p.m.
thecastelloplan.com

↑ **Milk & Honey**
Besitzer Max Habib setzt auf lokale Zutaten

↑ **Mimi's Hummus**
Nahöstliche Köstlichkeiten wie Hummus, Taboulé und Chicken Couscous

← **The Farm on Adderley**
Ländliches Flair und rustikale Einrichtung

The Farm on Adderley ESSEN
Hier dreht sich alles um Nachhaltigkeit und lokale Zutaten. Ob Brunch, Lunch oder Dinner: Die Gerichte der modernen amerikanischen Küche – Steak, Burger & Co. – sind frisch zubereitet und so gut, dass Leute aus ganz Brooklyn den Weg zur Farm auf sich nehmen. Ländliches Flair kommt zudem durch rustikale Einrichtung und viel Licht und Luft (extra Tische im Garten) auf. Oft stehen Besitzer und Brooklynites Tom und Matt selbst hinter Herd und Tresen.

1108 Cortelyou Road, Mo. – Fr. 11 a.m. – 3 p.m.
Sa. & So. 10:30 a.m. – 3:30 p.m. & 5:30 p.m. – 11 p.m.
thefarmonadderley.com

The Sycamore – Bar and Flowershop BAR/KAUFEN
Die Kombination aus Kneipe und Blumenladen gibt es vielleicht nur in Brooklyn. Dem Flowershop im Eingangsbereich folgt eine ziemlich normale Bar mit großer Whiskeyauswahl und fairen Preisen. Der Hinterhof hat Platz für Gruppen und kann durch ein Zeltdach auch im Winter genutzt werden. Ein weiteres Plus: Essen mitbringen ist erlaubt, z.B. von → Mimi's schräg gegenüber.

1118 Cortelyou Road, Bar: 3 p.m. – 2 a.m.
Sa. & So. ab 1 p.m., Blumenladen 11 a.m. – 6 p.m.
(außer Dienstag), Happy Hour: Mo. – Fr. bis 7 p.m.
und Sa. & So. bis 4 p.m., sycamorebrooklyn.com

Wheated ESSEN
Dass Brooklyn zu Recht mit seiner Pizzakultur prahlt, zeigt das Wheated. Die Pizzen, benannt nach Brooklyns Stadtteilen, kommen als Klassiker (Park Slope: Spinat, Knoblauch) oder als eher außergewöhnliche Kreation (Red Hook: Mortadella, Kartoffel, Thymian, Pistazie). Eine gute Ergänzung sind die reichlichen Salate, die sich buchstäblich auf den Tellern türmen. Zum Nachwürzen der auserwählten Pizza unbedingt ausprobieren: Mike's Hot Honey Sauce! Wer davon nicht genug bekommen kann: Die Sauce gibt es in der → Brooklyn ARTery zu kaufen.

905 Church Avenue, Di. – Do. 6 p.m. – 12 a.m.
Fr. – Sa. 6 p.m. – 1 a.m., So. 5 p.m. – 11 p.m.
wheatedbrooklyn.com

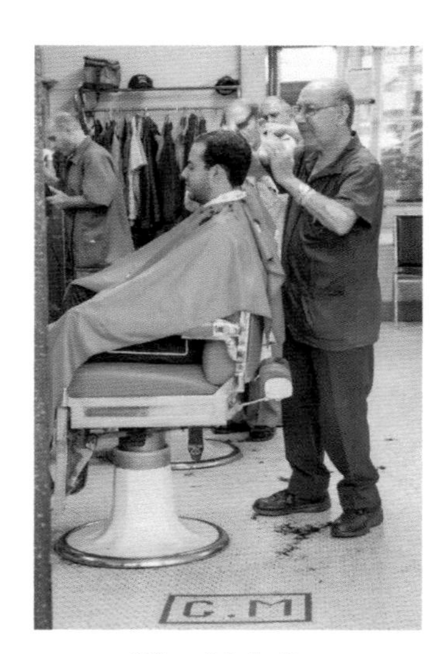

↑ **Vincent's Barber Shop**
Traditionsfrisör in Ditmas Park

PROSPECT PARK
PARADE GROUND
Ocean Pkwy
Church Av
M
5
6
Church Av
Albemarle Rd
Church Av
PROSPECT PARK
SOUTH
E 8th St
Ocean Av
E 21th St
E 17th St
E 18th St
E 19th St
Beverly Road
Beverly Rd
M
Beverly Rd
Coney Island Av
Cortelyou Rd
Ocean Av
E 19th St
E 18th St
E 17th St
Avenue C
Cortelyou Rd
M
E 16th St
Cortelyou Rd
Dorchester Rd
Ditmas Av
Ditmas Av
Newkirk Av
M
Newkirk Plaza
18th Av
Coney Island Av
E 8th St
Foster Av
1 Bar Chord
2 Brooklyn ARTery
3 Kenmore Terrace
4 Kings Theatre
5 LARK Cafe
6 La Nueva Union Bakery
7 Milk & Honey
8 Mimi's Hummus
9 Ox Cart Tavern
10 Sycamore
11 The Castello Plan
12 The Farm on Adderley
13 Wheated
Architektour
M Metrostation

Susan Siegel

BROOKLYN ARTERY

Gemeinsam mit Jocelyn Lucas-Rosenberg, einer langjährigen guten Freundin, betreibt Susan das erfolgreiche Geschäft Brooklyn ARTery auf der Cortelyou Road.

Wie kam die Idee zur ARTery?
Ich wohne schon über 17 Jahre in der Neighborhood und fühle mich in Ditmas Park einfach wohl. Ich bleibe sehr gerne hier in der Ecke. Aber immer, wenn ich auf der Suche nach einem Geschenk war, musste ich nach Park Slope oder Carroll Gardens fahren. Dort ist es auch toll, versteh mich nicht falsch, aber irgendwann kam uns dann die Idee, einen eigenen Geschenke-Laden hier in Ditmas Park zu eröffnen.

Was gefällt dir an deinem Job besonders?
Ich komme jeden Tag mit Leuten in Kontakt. Oft kommen Bekannte vorbei, aber auch immer wieder neue Menschen, die ein Geschenk suchen. Besonders mag ich es, wenn Künstler in den Laden kommen und mir ihre Produkte vorstellen. Wir können nicht mit allen zusammenarbeiten, aber wir versuchen, möglichst vielen eine Chance zu geben. Erst gestern war eine Frau hier, deren Schmuck wir in Zukunft verkaufen werden. Sie war so glücklich, dass sie mich zum Schluss umarmte. In solchen Momenten weiß ich, warum wir Brookyln ARTery gegründet haben.

Was macht Ditmas Park für dich aus?
Schau dich um! Dieser Stadtteil ist so divers wie kaum ein anderer in Brooklyn. Hier wohnen die meisten ethnischen Gruppen. Da vorne läuft ein Pakistani, da ein Mexikaner und ja, auch Amerikaner wohnen hier – alle friedlich zusammen.

Hast du Lieblings-Cafés, -Restaurants in der Neighborhood?
Oh je, da fragst du mich was. Hier gibt es so viele tolle Sachen. Ganz besonders gerne mag ich das Restaurant → The Farm on Adderley und das → Café Quatra. Beides ist gleich schräg gegenüber. Auch das → Café Lark ist toll. Kari, die Besitzerin, hat uns gerade in der Anfangszeit viele hilfreiche Tipps gegeben. Das ist das Tolle an Ditmas Park. Wir helfen uns gegenseitig, wenn wir können.

Was machst du in deiner Freizeit?
Wie schon erwähnt, bin ich unheimlich gerne hier in der Gegend. Also verbringe ich hier auch meine Freizeit am liebsten. Ich gehe gerne Essen und da einige Restaurants und Cafés Freunden von mir gehören, kann ich hier zwei Fliegen mit einer Klappe schlagen. Außerdem mache ich ausgedehnte Spaziergänge im Prospect Park mit meiner Familie.

Beschreibe Brooklyn in drei Wörtern!
Authentisch! Divers! Heimat! – Ich liebe Brooklyn!

brooklynartery.com

No sleep ’til Brooklyn!

Dass die andere Seite des East Rivers längst kein Geheimnis mehr ist, haben auch die Hoteliers erkannt, und so gibt es in Brooklyn bereits eine Vielzahl an Hotels. Hier nur eine kleine Auswahl von besonderen Unterkünften. Alle selbst getestet, für gut und vor allem für empfehlenswert befunden.

Airbnb
Bei der weltweit bekanntesten Online-Community für Privatunterkünfte gibt es über 300 Wohnungsinserate in Brooklyn. Ob ein teures Loft im hippen Williamsburg, ein moderates Apartment in Park Slope oder ein günstiges Gästezimmer in Bedford-Stuyvesant: Es gibt so viele interessante Unterkünfte, da wird jeder fündig. Der Vorteil im Vergleich zum Hotel: Oft geben die Vermieter ihren Gästen noch mal extra Tipps für einen rundum gelungenen Aufenthalt im schönsten Borough New Yorks.

airbnb.com

New York Loft Hostel
Dieses schicke Designer-Hostel auf der Grenze von Williamsburg und Bushwick war früher ein altes Kleider-Warenhaus. Hier trifft traditionelle Jugendherberge (Gemeinschaftsbäder, Etagenbetten, Spinde) auf cooles Loft-Ambiente. In den lichtdurchfluteten Aufenthaltsräumen lassen sich neue Bekanntschaften knüpfen, auf der Terrasse finden häufig Barbecues statt und nebenan wartet ein Whirlpool. Besonders praktisch: Das Hostel liegt direkt neben der Subway Station und die Preise für ein Zimmer sind erfreulich erschwinglich.

Williamsburg/Bushwick: 249 Varet Street
nylofthostel.com

NU Hotel
Das NU Hotel repräsentiert Brooklyns geballte Kreativität: Street Art vereint

↑ **NU Hotel**
Individuelles Design in jedem Zimmer

sich mit modernem Interieur und bildet so einen anregend erfrischenden Ort. Die Böden und Möbel der insgesamt 93 loftartigen Zimmer sind aus wiederverwertetem Holz. Bodenlange Vorhänge und Betten mit Retro-Kopfenden verleihen den Räumen einen besonderen Look. Die Wände einiger Zimmer wurden liebevoll von lokalen Künstlern gestaltet. Zimmer 302 von keinem geringeren als dem Inhaber von → Brooklyn Tattoo Adam Suerte. Das NU Hotel liegt direkt am Anfang der Smith Street in BoCoCa, und ist somit ein perfekter Ausgangspunkt für eine Exkursion durch das Viertel. Praktisch: Das Hotel verfügt über sechs Mieträder. Am besten direkt beim Einchecken reservieren – die Bikes sind hier heiß begehrt.

Downtown Brooklyn/Cobble Hill: 85 Smith Street
nuhotelbrooklyn.com

Urban Cowboy BnB
Als Fremde kommen, als Freunde gehen. Hier wird das Konzept des BnBs neu definiert, als Heimat fern der Heimat. Das frisch renovierte, 100 Jahre alte Stadthaus sieht von außen aus wie ein stinknormales Wohnhaus. Innendrin verblüfft es durch sein fantastisches Design. Stilvoll eingerichtet mit persönlichen Noten hier und da, einem Whirlpool im Garten, sympathischen Mitarbeitern und einem Frühstück mit vielen Leckereien, wird ein Aufenthalt hier zu einem besonderem Erlebnis. Mit Live-Musik und wechselndem Abendprogramm kommt hier garantiert keine Langeweile auf. Besitzer Lyon Porter bringt es auf den Punkt: „Ich habe mein Traumhaus gebaut, und nun können alle davon profitieren."

Williamsburg: 111 Powers Street
urbancowboybnb.com

Index

Bar

Café

Essen

H — ESSEN

I — ESSEN

J — ESSEN

K — ESSEN

L — ESSEN

M — ESSEN

N — ESSEN

O — ESSEN

P — ESSEN

R — ESSEN

Kaufen

Machen

Sehen

INDEX

Danke

A
Alexander Kallmeyer
Andreas Seitz
Anne Wittig
B
Birte Schmidt
Bjorn Troch
C
Carsten & Tanja
Christian Gyllensvärd
Christina Theilmann
Christoph Drees
Christoph Ehrke
Christoph Kraaibeek
Claudia Minoiu
Claudia Naskrent-
Hunkenschroer
Corinna Hennek
D
Dani
Daniela & Heiko
Debora Domass
Dirk Sievert
Dominique Puls
E
Eva-Maria Winteroll
F
Fabian
fräncis
Franziska Neyer
Friso Krahmer
G
Gambadilegno
Gareth Hamilton
Geli & Harald
Gisela
H
Heinz & Kornelia Pawelzik
Helmut & Monika
Holger Wetzel
hungry_nic
I
Ines Hönemann
Isabel Dätwyler
J
Jay KillKelley
Jeanine Peschel
Jelena Braun
Jennifer N. Morgan
JHB
Johanna Nemson
Johanna Stöck
Jonas & Michael Brocher
Jörg Kupitz
Julian & Geschi
Jutta Lamers
K
Katja Jung
Katrin S.
Kirsten Herrmann
Kristina Bieda
L
Lars Dahlhaus
Lazy Bus
Linda
Luisa Niebuhr
M
Magda & Jochen
Martin Merten –
we travel the world
Melanie & Tobias
Meisersick
Melanie Schmidt
Mia & Nils
Michael Hellermann
Millie & Leo
Musikverlag Amusiko.de
N
Nadine Ast
Nick Chmura
Nico Lumma
Nicole V.
Nina Rockrohr
Norbert Weissmann
O
Oliver & Heiner
P
Peter Hohl
Philipp Huesgen
R
Rene van den Hoevel
Reni & Henner
S
Sabine Zimmermann
Sara Plattner
Sarah Nardmann
Sascha Altmann
Sebastian Voß
Sophie Pester
Stefan Brockhaus
Steffen Thiel
Steven Becher
Susi
T
Tanja Beate Heuser
Thomas Gebehenne
Thorsten & Karo
Timo Gebke
U
Ulla Keienburg
Ulrich Ahrensmeier
Ulrich Sperling
ux matters
V
Verena
Vladimir & Anne-Britt
99 Scott Studio

Impressum

Idee und Konzept
Ina Bohse & Anne Voss

Art Direktion und grafisches Konzept
Marie Lammers & Christian Schneider, Berlin

Design Stadtpläne
Aaron Dawkins & Christian Schneider

Lektorat
Anja Kocherscheidt

Druck
Druckerei Heenemann, Berlin

Lithographie
Julia Cawley, Claas Logemann

1. Auflage, August 2016

Bildnachweis
Alle Fotos von Ina Bohse & Marcus Lokau
bis auf S. 36: Buyanal Sadiq, S. 87 (unten): Anya Keller, S. 104: Lily Ahn, S. 110 (oben) und S. 111: Black Forest Brooklyn, S. 130 (oben): Dan Sigarin, S. 156 (oben): Christina Niebuhr, S. 156 (unten): Daniel Krieger, S. 160: Brent Herrig, S. 161 (unten): Nick Johnson & Gabe Zimmer, S. 183: Lily Ahn

Für die großartige Unterstützung danken wir unseren Sponsoren und den Teilnehmern der Kickstarter-Kampagne.
Ein besonderer Dank geht an **Marcus Lokau** für seinen umfassenden moralischen und tatkräftigen Support.

brooklynguide.de

Sponsoren

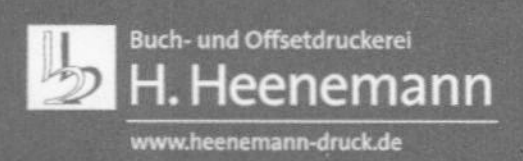